Waanzin

Mel Wallis de Vries

the house of books

Eerste druk, augustus 2009
Derde druk, april 2010

Copyright tekst © 2009 Mel Wallis de Vries
Copyright © 2009 The House of Books, Vianen/Antwerpen

Vormgeving omslag
marliesvisser.nl
Foto omslag
Studio Marlies Visser met dank aan Romy
Foto auteur
Mariska Budding
Zetwerk
ZetSpiegel, Best

ISBN 978 90 443 2400 6
NUR 284/285
D/2009/8899/99

www.melwallisdevries.nl
www.thehouseofbooks.com

Voor mijn allerliefste mama

Hoofdstuk 1

Amber

Wat is er gebeurd? Waarom lig ik in het donker op de koude grond van onze garage? En waarom doet mijn hoofd zo'n pijn? Het is een doffe, bonzende pijn net boven mijn rechteroog. Ik weet nog dat ik naar een of andere Nederlandse politieserie aan het kijken was. En opeens, boem, hoorde ik een keiharde knal uit de bijkeuken komen, gevolgd door het gerinkel van glasscherven. Ik zat recht overeind op de bank. Mijn eerste gedachte was: verdorie, wat heeft Joep nu weer kapotgemaakt?

Ik ben opgestaan en naar de bijkeuken gelopen, terwijl ik ondertussen steeds riep: 'Joep, kom hier!' Maar die rotkat liet zich niet zien. In de bijkeuken deed ik het licht aan. Ik verwachtte een chaos te vinden van kapotgevallen wijnflessen en omvergelopen bloempotten, maar alles leek normaal. Zou Joep de scherven soms hebben opgegeten? Ik haalde mijn schouders op. Ach, wat maakte het mij ook uit. Ik hoefde de troep tenminste niet op te ruimen.

Ik wilde net naar de huiskamer teruggaan, toen ik zag dat de deur naar de garage op een kier stond. Hadden mijn ouders deze deur niet goed dichtgetrokken? Normaal gesproken valt de deur automatisch in het slot. Misschien was het slot

7

kapot? Ik liep erheen en duwde stevig tegen de deurklink. De deur veerde een klein stukje terug. Er zat iets klem tussen de deur en de deurpost aan de kant van de garage. Misschien was Joep de garage in geglipt, en had hij daar iets omgegooid? Jakkes, daar ging mijn rustige avondje op de bank zonder ouders. Balend stapte ik de drempel naar de garage over.

Vanaf dat moment herinner ik me eigenlijk niks meer. Ben ik soms met mijn hoofd ergens tegenaan gelopen en bewusteloos geraakt? Dat is nog niet eens zo'n gekke verklaring. De garage staat en hangt vol met spullen van mijn vader. Een houten roeiboot, tuingereedschap, verfblikken, een roestige motorfiets. Peddels, een racefiets, kampeerspullen, een oude badkuip, je kan het zo gek niet bedenken. Mijn moeder heeft al zo vaak gezegd dat hij moet opruimen.

Voorzichtig leg ik mijn handpalm tegen de pijnlijke plek op mijn voorhoofd. Ik slaak een diepe zucht. Dat wordt vast een gigantische blauwe plek. Ik kan beter wat aspirientjes in de badkamer gaan halen. Ik krabbel overeind. Een felle pijnsteek schiet door mijn hoofd. Duizelig hou ik me vast aan een gladde, metalen bol die aanvoelt als de deksel van onze barbecue. De pijn trekt langzaam weg.

Ik laat de barbecue los en schuifel een paar stapjes door het donker. Het lichtknopje zit naast de deur die naar de bijkeuken leidt. Ik voel het houten blad van mijn vaders werkbank onder mijn vingers, de kast met gereedschap en daarna de deurpost. Hier moet het lichtknopje ergens zitten. Ik ga met mijn hand over de muur omhoog, totdat ik de schakelaar voel. Klik. Het blijft donker. Is het licht kapot? Ik zet nog een stap en reik naar de deurklink. Na twee pogingen heb ik hem te pakken. Ik duw de klink naar beneden en trek aan de deur. Maar hij zit muurvast. O nee, de deur is waarschijnlijk achter me in het slot gevallen. Wat erg! De deur kan alleen van-

uit de bijkeuken worden geopend, of met een sleutel. En die heb ik natuurlijk niet.

Kreunend leun ik tegen de muur. Shit, dit moet mij weer overkomen. Ik ben alleen thuis en heb mezelf opgesloten in de garage. Nu kan ik mijn avondje tv echt vergeten. Wat moet ik in hemelsnaam de komende uren hier doen in de kou en zonder licht? Mijn ouders komen pas rond een uurtje of twee thuis. 'Fuck, fuck, fuck.' Mijn stem klinkt idioot hard in het donker. En dan hoor ik plotseling nog iets anders. Een zacht geschraap. Alsof iemand door de garage sluipt. Ik verstijf.

'Pap, mam, zijn jullie al terug?' roep ik. Niemand antwoordt. Het is doodstil. En dan is het schrapende geluid er plotseling weer. Het komt dichterbij. 'Wie is daar?' Opnieuw geen antwoord. Het schrapende geluid houdt vlak naast me op. Daarvan word ik nog banger. 'Hallo? Is daar iemand?' probeer ik nogmaals.

'Míiauwwww.' Met een noodvaart rent Joep langs mijn benen. Mijn hart mist een slag en ik begin te giechelen, waarschijnlijk van de zenuwen. 'Stomme Joep,' mopper ik. 'Je hebt me laten schrikken. Wil je dat alsjeblieft nooit meer doen?'

Klik. Een fel licht verblindt me. 'Hè, wat,' stamel ik met samengeknepen ogen.

'Dag Amber,' antwoordt een mannenstem.

'H-hallo.' Zeg ik dit? Gebeurt dit werkelijk? Het lijkt wel alsof ik in een film ben beland. Ik hoor dingen. Ik zeg dingen. Maar ik maak het niet echt mee. Iemand anders staat in een pikdonkere garage met een wildvreemde man voor zich, niet ik.

Zijn stem gaat verder. Ik dwing mezelf om te luisteren.

'Doet je hoofd pijn, Amber? Ik heb je geslagen met de achterkant van een peddel. Het spijt me, maar ik zag geen andere mogelijkheid om je hier op te sluiten.'

Stilte.

Ik zou bang moeten zijn. Doodsbang zelfs. Maar mijn gevoel is volledig uitgeschakeld. Wezenloos staar ik in het felle licht. Ik kan onmogelijk zien wie er tegen me praat.

'We gaan een spelletje spelen,' zegt de man. 'Het heet Ren voor je leven. Ik tel tot tien. En dan ga ik je zoeken. Als ik je vind, ga je met mij mee naar huis. Als ik je niet vind, mag je hier blijven. Leuk gevonden, toch?' Hij lacht.

Die lach. Er is iets met die lach. Maar mijn gedachten zijn te verward om te herinneren wat.

'O ja, Amber. Ontsnappen is er niet bij. De deur naar de bij-keuken heb ik op slot gedaan, zoals je daarnet hebt gevoeld. En de grote garagedeur naar buiten is vergrendeld.'

Een spiertje trilt onder mijn oog.

'Eén, twee,' hoor ik hem zeggen. 'Ik zou maar opschieten Amber. De tijd tikt door.'

Er verschijnt een donkere vlek in de lichtbundel. Een hand. Zijn hand. Het duurt een paar seconden voordat ik zie wat hij vasthoudt. Een groot mes.

Opeens begrijp ik het. Met een noodvaart komt mijn gevoel terug. Paniek snijdt door mijn lichaam. Angst knijpt mijn keel dicht. Ik hap naar adem.

'Laat me gaan, alsjeblieft,' smeek ik.

'Drie.' Hij knipt het licht uit. Het duister is terug.

Ik gil, draai me om en ren een willekeurige kant op.

'Vier.'

Ik knal tegen een groot voorwerp. De houten roeiboot. Denk na, denk na, denk na.

'Vijf.'

Muur! Opeens weet ik het weer. Achter de houten roeiboot zit een muur met een klein raam. Dat raampje heeft hij vast niet gezien. Misschien kan ik erdoor ontsnappen. Mijn laatste kans!

'Zes.'

Ik klim op de roeiboot, stoot mijn been, klauter weer verder. Als ik stop, heeft hij me zo te pakken. In een paar stappen ben ik bij de muur. Mijn handen klauwen over het ruwe oppervlak. Waar is dat raampje, in godsnaam, ik moet dat raampje vinden!

'Zeven.'

Een nagel breekt op de bakstenen. Ik voel het bloed langs mijn vinger lopen.

'Acht.'

De vensterbank is koel en glad onder mijn handen. Ik moet huilen van opluchting. Met alle kracht die ik in me heb, trek ik aan het handvat. Het raam gaat niet open. Het zit op slot. Ik val gillend op mijn knieën en sla met mijn vuisten tegen de muur.

'Negen, tien. Wie niet weg is, is gezien, ik kom.'

Hoofdstuk 2

Kon ik de tijd maar terugdraaien. Gewoon op mijn horloge, net als het uur terug van de wintertijd. Dan zou ik blijven doordraaien en doordraaien, totdat de wijzers op twee jaar geleden stonden. Ik zou weer in Amsterdam wonen en de eerste zoen van Mark krijgen. Hij zou in mijn oor fluisteren: 'Claire, ik ben nog nooit zo verliefd op een meisje geweest. Jij en ik horen bij elkaar. Snap je dat? Dit is voor altijd. Hou je ook zoveel van mij?' Ik zou ja knikken en mijn armen om zijn nek slaan.

Twee jaar geleden wisten we ook nog niet dat mijn moeder ziek was. Ze zat nog elke middag na school op me te wachten met een kopje thee. En ze luisterde naar al mijn verhalen. Ik vond mijn leven toen zo vanzelfsprekend; ik dacht er niet eens bij na. Nu verlang ik zo wanhopig terug naar die tijd dat het gewoon pijn doet.

Ik knip het lampje boven mijn bureau aan en kijk naar buiten. Vanuit ons appartement op de elfde verdieping hebben we een fantastisch uitzicht op de Erasmusbrug. Tenminste, dat vindt mijn vader. Ik vind het de lelijkste brug die ik ken: groot, lomp, en kil. Net als Rotterdam zelf. De lucht is donkerpaars met zwart. Helemaal onderin zie ik het laatste randje blauw verdwijnen. Bijna weer een dag voorbij.

Vanuit de keuken klinkt het gekletter van pannen. Pap kookt vanavond. Zo rond een uurtje of zeven komt Bernadet. Ik weet al hoe het straks gaat. Ze stormt binnen met een blik alsof ze hier woont. 'Hallo Claire,' zegt ze dan. 'Ik heb je gemist.' Ik geloof haar nooit. Soms wil ze me een zoen geven, maar dan draai ik snel mijn hoofd weg. Daarna omhelst ze heel overdreven mijn vader. Op dat soort momenten haat ik haar echt.

Ik sta op en slof naar de keuken. Mijn vader staat met zijn rug naar me toe in een pan te roeren.

'Wat maak je?' vraag ik.

'Zuurkool, lieverd.' Hij draait zijn hoofd om en glimlacht.

Zuurkool, dat vond ik vroeger heel lekker. 'Tja, weet je pap, ik voel me wat grieperig. En ik moet mijn huiswerk nog maken. Vind je het goed als ik niet mee-eet?'

Papa's mondhoeken zakken naar beneden. Maar dan haalt hij zijn schouders op. Blijkbaar heeft hij geen zin om tegen me in te gaan. 'Prima,' bromt hij. 'Zou je me een houten lepel kunnen aangeven?'

Ik doe de la met bestek open. 'Alsjeblieft.'

'Dank je wel.' Pap kijkt me niet meer aan. 'Wil je straks misschien wat zuurkool op je kamer eten?'

'Nee, ik heb geen honger.' Stel je voor dat Bernadet het bord naar mijn kamer brengt! Ik graai een zak paprikachips uit het keukenkastje. 'En ik ben onwijs moe. Ik denk niet dat ik vanavond nog bij jullie kom zitten. Zie je morgen, oké?'

'Zal ik Bernadet de groeten van je doen?'

'Wat jij wilt.'

Hij zucht. 'Dat wil ik inderdaad, Claire. Je zou…'

De rest van zijn antwoord hoor ik niet meer, want ik heb de keukendeur achter me dichtgetrokken.

Ik ga op mijn bureaustoel zitten en schuif de muis heen en weer. Het zwarte scherm van mijn computer komt tot leven. Er is een nieuwe krabbel op mijn Hyves-pagina binnengekomen.

> Hey lief, drama vandaag!!! Ik heb
> een vier voor wiskunde gekregen ☹
> Weet je wat die heks zei? Dat ik zo
> nooit mijn eindexamen haal, grrrrrr.
> O ja, ik heb een nieuw mobieltje geregeld,
> dus je kan me weer bellen ☺ Dit is mijn
> nieuwe nr: 06-6788921.
> Kus ♥ Zoë

Ik trek de zak chips open en bel Zoë.

'Een vier? Dat méén je niet!'

'Ja, erg hè?' zegt ze. 'Ik sta nu een vijf gemiddeld. O, ik wil niet zakken. Nog een jaar 5 havo overleef ik echt niet.'

'I know. Maar ik ga het ook niet redden. Mijn hoogste cijfer is voor Engels, een zes. De rest van mijn vakken komt niet boven de vijf uit.'

'Oeps, dat wist ik niet. Jeetje, Claire, wat dramatisch.'

'Hé, je hoeft het er niet in te wrijven.'

Ik hoor Zoë lachen aan de andere kant van de lijn: het zachte gegrinnik dat ik zo goed ken.

'Sorry. Maar ik ken niemand die er zo slecht voor staat.'

'Ja, ja, nu weet ik het wel, ander onderwerp. Je telefoon. Heeft je moeder je eindelijk geld gegeven?'

'Gegeven? Geleend zal je bedoelen. Ik moet het hele bedrag terugbetalen. Irritant, hè?'

'Arme jij. Welke telefoon heb je uitgezocht?'

'Een of andere goedkope, saaie Nokia. Meer geld kreeg ik niet van haar. Voor deze prepaid heb ik al twee weken moeten zeuren.'

'En je oude telefoon? Die heb je niet meer gevonden?'

'Nee. Waarschijnlijk belt er nu een junk met mijn roze Samsung.'

Om die gedachte moet ik lachen. 'Nou ja, je kan tenminste weer bellen.'

'Gelukkig wel. Ik had trouwens mazzel dat ik net een back-up van mijn mobieltje had gemaakt. Anders was ik al mijn telefoonnummers ook nog eens kwijtgeraakt, horror, horror. Zeg, hoe is het eigenlijk bij jou?'

'Matig. Bernadet komt zo eten.'

'Jakkes. Ik zou spontaan moeten overgeven bij dat idee.'

'Ik heb tegen mijn vader gezegd dat ik ziek ben. Je denkt toch niet dat ik met dat mens aan tafel ga zitten?'

Ik stop wat chips in mijn mond. De smaak is zout en vettig.

'Was ie kwaad?'

'Hmmm, ja, best wel.' Ik slik de chips door. 'Maar dat is zíjn probleem. Net zoals Bernadet zíjn vriendin is.'

'Goed zo, Claire, laat je niet gek maken door je vader en dat kreng.'

Zoë spreekt uit ervaring. Haar vader is er anderhalf jaar geleden vandoor gegaan met een andere vrouw. Zoë en haar moeder hebben bijna geen contact meer met hem.

'Zijn er nog spannende dingen bij jou gebeurd?' vraag ik.

'Mwah, niet echt. Eens denken… Ik heb nieuwe laarzen gekocht, ik ben een kilo afgevallen en ik sta in de schoolkrant met tips hoe je het eindexamen kan halen. Ze zochten iemand voor het artikel en het leek me wel grappig.' Zoë lacht hard. 'Is het geen giller? Ik, die tips geef over het eindexamen?'

Ik grinnik. 'Straks zakt de hele school door jou.'

'Ja, stel je voor.'

Ik hoor Zoë aan de andere kant van de lijn een sigaret opsteken.

'Wat ga je trouwens dit weekend doen?' vraagt ze.

'Weet niet. Ik heb nog steeds geen vriendinnen hier. De meisjes uit mijn klas zijn zo stom.'

'Ik heb een idee. Waarom kom je morgenavond niet bij mij? Het is maar een uurtje met de trein, je bent er zo.'

'Ik zou niets liever willen, maar ik ben hartstikke blut. En drie weken geleden ben ik ook al bij jou…'

Zoë onderbreekt me. 'Niet moeilijk doen. Ik betaal je treinkaartje wel.'

'Maar jij hebt ook geen geld.' Ik vis nog een handvol chips uit de zak.

'Precies. En doe ik moeilijk?'

'Eh, nee.'

'Dat bedoel ik maar. Hé luister, ik moet ophangen. Mijn moeder staat onder aan de trap te gillen dat het eten klaar is. Sms maar hoe laat je morgen komt, oké?'

'Oké dan.'

'Gezellig.'

Ik klap mijn telefoon dicht en staar naar mijn vingers. Ze zijn oranje geworden van de paprikachips. Ik veeg mijn handen af aan mijn spijkerbroek en gooi de half-volle zak chips in de prullenbak. Zal ik nog snel een boterham met pindakaas smeren in de keuken? Maar dan hoor ik de harde, snerpende stem van Bernadet uit de huiskamer komen. Shit, ze is er al. Ik doe de dopjes van mijn iPod in mijn oren en druk op play. *Fallin'* van Alicia Keys. Ik zet de muziek zo hard dat ik niks anders meer hoor.

Hoofdstuk 3

'Weet je wat we gaan doen?' Zoë neemt een trek van haar sigaret en kijkt me aan vanaf haar bureaustoel.
'Nee.'
Ze wacht een paar seconden, en zegt dan: 'We gaan naar een nachtclub.'
'Wat? Een nachtclub? Nu?' Ik zit op de matras die Zoë's moeder voor me heeft klaargelegd. Over mijn benen ligt een slaapzak.
'Ja.' Ze glimlacht, inhaleert diep en blaast de rook in kringetjes uit.
Ik staar naar buiten. Tegen het donkere raam kleven regendruppels. Mijn haar zit in de war, ik heb een oude joggingbroek aan en ik kan mijn ogen amper openhouden. 'Kunnen we niet hier blijven? Ik ben best moe...'
'Slapen kan altijd nog. Het is vrijdagavond. We gaan echt niet de hele avond thuis zitten.'
'Maar...'
'Niet zo zeiken, Claire.' Zoë trekt een verongelijkt gezicht.
Ik geef me gewonnen. 'Oké, jij je zin. We gaan uit.'
'Joehoe.' Zoë draait een rondje met haar bureaustoel. 'Ik hou van je.'

'Ja, ja, dat zal wel. Waar gaan we eigenlijk heen?'

'De Jimmy Woo.'

'De Jimmy Woo? Dat is een onwijs dure tent.'

Zoë wappert opeens met een groen biljet. 'Maar wij zijn sinds kort rijk. Tadadadáááá, honderd euro!'

'Wát? Hoe kom je daaraan?'

'Ach, mijn moeders portemonnee lag toevallig op het kastje in de gang.'

'Je hebt geld uit je moeders portemonnee gejat? Ben je gek geworden?'

'Gejat? Nee, joh. Ik geef het haar ooit wel weer eens terug, maak je geen zorgen.'

Zoë drukt haar sigaret uit en pakt een bus deodorant uit haar bureaula. 'Zo, die peuk ruikt niemand meer,' zegt ze, terwijl ze grote wolken deodorant door de kamer spuit. 'Kom, we gaan ons verkleden.'

Ze springt op en loopt naar haar kledingkast. 'Ik trek dit aan.' Ze houdt een superkort, zwart rokje en een zilveren topje in haar handen. 'En jij mag mijn nieuwe skinny dragen met dit truitje. Dat staat je vast goed.' Ze gooit een spijkerbroek naar me toe, en een zwart coltruitje.

Ik sta zuchtend op van de matras en trek mijn kleren uit. Zoë rent in haar bh en onderbroek door de kamer. 'Heb jij mijn legging gezien?'

'Nee.'

'Ah, hier is dat rotding.' Ze trekt een zwarte legging uit een berg met kleren.

Ik wurm me in het coltruitje en de strakke spijkerbroek. 'Past ie?' Zoë trekt de rits van haar rokje dicht.

De broekrand snijdt in mijn vel en ik kan bijna niet meer ademhalen. 'Hij zit een beetje strak,' mompel ik.

Zoë trekt me naar de spiegel. 'Strak? Nee joh, hij zit perfect. Kijk maar.'

De broek staat inderdaad geweldig. Ik lijk veel dunner dan ik ben. 'Niet slecht,' mompel ik en ik bekijk mezelf van alle kanten.

'We zijn nog niet klaar. Je haar is een puinhoop.' Zoë staat achter me met een borstel te zwaaien. 'Even meewerken, please.' Met lange halen borstelt ze mijn haar en ze kneedt er een zoet ruikend spulletje in. 'Nu je gezicht nog. Ogen dicht,' commandeert ze. Ik voel een kwastje over mijn ooglid strijken. Zoë's vingertoppen kloppen iets op mijn wangen, en ze smeert een kleverige lipgloss op mijn lippen. 'Et voilà, je mag kijken.'

Ik ben even sprakeloos. 'Wauw, ben ik dit echt?' Mijn rode haar hangt krullend over mijn schouders. Zoë heeft iets op mijn ogen gesmeerd waardoor ze nog groener lijken.

Zoë grijnst naar me in de spiegel. 'Je lijkt wel een filmster. Knap en mysterieus.'

Ze pakt een kohlpotlood en trekt een zwart lijntje onder haar ogen. Uit haar toilettas haalt ze een lippenstift. Razendsnel kleurt ze haar lippen rood.

'Zo, we gaan.' Ze grist haar jas van het bed en trekt me de gang op.

Onder aan de trap legt Zoë een vinger tegen haar lippen. 'Geen geluid maken,' fluistert ze. 'Anders hoort mijn moeder het. En dan moeten we al om één uur thuis zijn.'

We sluipen door de gang, langs de huiskamer, waar de tv aanstaat. Plotseling kraakt de houten vloer onder mijn voeten. Ik blijf stokstijf staan. Zoë gebaart dat ik moet komen. Op mijn tenen loop ik verder. Bijna onhoorbaar opent ze de voordeur. Ik glip naar buiten. Zoë trekt de deur met een zachte klik achter ons dicht. Giechelend lopen we naar Zoë's fiets.

'Ik was echt bang dat je moeder dat gekraak had gehoord,' zeg ik.

'Ja, gelukkig keek ze naar haar lievelingsprogramma, de *TV Show op reis*.' Ze steekt een vinger in haar mond en doet alsof ze moet kotsen. 'So boring, met Ivo fucking Niehe.'

Zoë bukt en steekt haar fietssleutel in het slot.

'Komt je moeder ons straks niet welterusten zeggen?' vraag ik.

'Echt niet. De laatste keer dat ze dat deed, was toen mijn pa nog bij ons woonde. Ze ligt nu elke avond op de bank te snotteren omdat ze zichzelf zo zielig vindt.'

Zoë gaat op het zadel zitten. 'Je mag pas springen als ik het zeg.'

Ze rijdt de straat op. 'Nu!'

Ik neem een aanloopje en spring achter op de bagagedrager. De fiets wiebelt gevaarlijk. 'Sturen,' gil ik.

'Wat denk je dat ik doe? Sjonge-jonge, je springt als een nijlpaard,' grinnikt Zoë terwijl ze vaart maakt.

Een koude wind blaast in mijn gezicht en mijn adem maakt kleine wolkjes in de avondlucht. Zoë vertelt een verhaal over Ruben, een jongen die vorig jaar bij ons in de klas zat. Hij is in elkaar geslagen door een groepje jongens van een andere school.

'Dat meen je niet,' zeg ik. 'Wat had hij gedaan?'

Zoë haalt haar schouders op. 'Niks. Hij liep op zaterdagavond over het Rembrandtplein. En toen begonnen die jongens hem te treiteren. Eerst wat duwen en schelden. Ruben zei dat ze moesten ophouden. Nou, dat heeft hij geweten. Hij heeft twee weken met een blauw oog op school rondgelopen.'

'Wat asociaal. Heeft hij…' Midden in mijn zin val ik stil. Dat ik het nu pas zie. Ik was zo in beslag genomen door Zoë's verhaal.

'Ja, onwijs asociaal,' beaamt ze. 'Die eikels…'

'Remmen!' gil ik.

Zoë staat vol op haar remmen. 'Holy shit, wat is er aan de hand?'

Mijn oude huis. We staan voor ons oude huis. Achter de grote ramen van de huiskamer brandt licht. Ik zie een man door de kamer lopen, langs een vreemde lamp en een schilderij dat ik niet ken. De plantenbakken op de stoep zijn weggehaald. Mama hield van die plantenbakken. In de lente ging ze altijd naar het tuincentrum om plantjes te kopen. Wat kan iemands leven snel worden uitgewist. Het is alsof we hier nooit hebben gewoond. Weer een herinnering aan mijn moeder weg.

Zoë legt een hand op mijn arm. 'O, Claire, we hadden een andere route moeten fietsen. Ik heb er niet bij nagedacht, sorry, sorry, sorry. Echt duizendmaal sorry.'

'Het geeft niet,' zeg ik. 'Het is maar een huis. Kom, we gaan.'

'Zeker weten?'

'Yep, zeker weten.' Ik lach naar Zoë, die me opgelucht aankijkt.

'Oké dan, hou je vast.'

Ik doe mijn ogen dicht. Een traan rolt over mijn neus, en kriebelt op mijn wang. Ik bijt heel hard op mijn lip om de andere tranen tegen te houden.

Hoofdstuk 4

De rij voor de ingang van de Jimmy Woo is lang. Zoë en ik sluiten achter aan. Een man bij de deur bepaalt wie er naar binnen mag, en wie niet. Zeker de helft van de mensen wordt weggestuurd.

'We komen er nooit in,' fluister ik. 'We zijn nog maar zeventien. Iedereen hier is minstens vijfentwintig of ouder.'

'Ssst, hou je mond,' sist Zoë. 'Laat mij het woord doen.'

We schuifelen naar voren. Een groep jongens mag niet naar binnen. Ze lopen scheldend weg. Ook de twee vrouwen voor ons wordt de toegang geweigerd.

'Met hoeveel zijn jullie?' vraagt de portier als we naar voren stappen.

'Met z'n tweeën.' Zoë schudt haar blonde haren naar achteren en glimlacht.

De man fronst zijn wenkbrauwen. 'Hoe oud zijn jullie?'

Zoë giechelt en buigt haar hoofd naar voren. Ze fluistert iets in zijn oor. Ik staar een andere kant op.

Ik hoor de man grinniken. 'Nou vooruit, naar binnen. Je bent me er eentje.' Zijn ogen nemen Zoë ongegeneerd van boven tot onderen op.

'Bedankt, hè.' Zoë geeft hem een knipoog en we lopen naar binnen.

We geven onze jassen af in de garderobe.

'Wat heb je tegen hem gezegd?' vraag ik, terwijl ik het bonnetje van mijn jas in mijn portemonnee stop.

'O, niks bijzonders. Dat ik hem een lekker ding vond. En of hij na sluitingstijd al wat te doen had.'

Ik kreun. 'Dat zeg je toch niet? Nu staat hij ons straks kwijlend op te wachten.'

Ze wuift mijn opmerking met haar hand weg. 'Misschien. Misschien ook niet. Wat maakt het uit? We zijn binnen. En ik ga straks heus niet met hem mee.'

We lopen door de grote bronskleurige klapdeuren. Het is hartstikke druk. Overal zitten, staan en dansen mensen. Het dak van de club bestaat uit duizenden lichtjes. Rond de dansvloer zijn nisjes gebouwd met lounge-banken en grote kussens. Aan de muren hangen inge-lijste foto's van halfnaakte Chinese vrouwen.

Zoë lijkt zich hier helemaal thuis te voelen. Zelfverze-kerd loopt ze naar een lege bank en ploft neer. Ik ga naast haar zitten.

'Wat wil je drinken?' Ze wenkt een ober.

'Eh, wat neem jij?'

'Een scroppino. Citroenijs, met wodka en wijn, très hip. Voor jou ook eentje?'

'Doe maar.'

Zoë bestelt twee scroppino's.

De ober komt terug met twee longdrinkglazen waarin een wit, schuimend drankje zit.

'Cheers, darling,' proost Zoë.

Ik nip voorzichtig. Het smaakt best lekker, koud en fris.

'Hier word je megadronken van,' vertrouwt ze me toe.
Twee jongens komen naast ons staan. Ik schat ze rond
een jaar of drieëntwintig. 'Zijn die plekken naast jullie
nog vrij?' vragen ze.
'Nee,' wil ik zeggen, maar Zoë is me voor en zegt: 'Na-
tuurlijk, kom er gezellig bij.'
De lange, en knapste, jongen gaat naast Zoë op de bank
zitten. Ik krijg de blonde jongen als buurman. Hij
draagt een zwart T-shirt met de tekst: Smack My Bitch
Up.
'Pieter,' stelt hij zich voor.
'Claire,' antwoord ik zuchtend.
De andere jongen heet Michiel.
Zoë glimlacht naar Michiel. 'Wij willen graag nog wat
drinken.'
Binnen een minuut staan er twee nieuwe scroppino's
voor onze neus en heeft Michiel zijn arm om Zoë's
schouder geslagen. Zoë leunt nonchalant tegen hem
aan en babbelt honderduit. Pieter heeft blijkbaar besloten dat ik voor hem ben, want hij schuift steeds dichter
naar me toe. Subtiel probeer ik hem duidelijk te maken
dat ik absoluut geen interesse heb. Hij lijkt het niet te
begrijpen. Mijn mond vormt geluidloos het woord
'help', maar Zoë ziet het niet. Ik neem een paar grote
slokken van mijn scroppino en probeer me te concen-
treren op het verhaal dat Pieter vertelt.
Een uur later heb ik vier scroppino's op en voel ik me
behoorlijk aangeschoten. Het geprat van Pieter glijdt
langs me heen. Deze jongen weet niet van ophouden.
Ik leun achterover in de bank. De lichtjes van het plafond draaien voor mijn ogen. Ik word een beetje misselijk en ga snel rechtop zitten. Opeens zie ik hem. Flo-

rian. Een vriend van Mark. Hij staat aan de andere kant van de zaal bij een pilaar. Florian ziet mij ook. Hij glimlacht een beetje spottend, alsof hij wil zeggen: 'Jij bent toch dat meisje dat door Mark is gedumpt? Arme stakker.'

Plotseling vind ik het heel belangrijk dat Florian een ander beeld van me krijgt.

'Kom, we gaan dansen,' zeg ik tegen Pieter, en ik trek hem mee de dansvloer op.

Hij kijkt me verbaasd aan. 'Nou, nou, waar komt dit enthousiasme ineens vandaan?'

Ik glimlach en duw mijn middel tegen zijn heupen aan. 'Maakt dat wat uit?'

Pieter grijnst en legt zijn handen op mijn billen. 'Nee. Ik wist wel dat je pit had. Meisjes met rode haren staan erom bekend. Je moest gewoon even ontdooien.'

Ik doe alsof ik Pieters opmerking ontzettend grappig vind en lach heel hard en overdreven. Zijn handen knijpen in mijn billen. Ik heb zin om hem een klap te geven, maar dat doe ik niet. In plaats daarvan trek ik zijn hoofd naar me toe en ik zoen hem vol op zijn mond.

Pieter duwt zijn tong tussen mijn lippen. Hij smaakt naar bier en vette chips, en hij kan niet zoenen. Ik gluur tussen mijn oogleden door om te zien wat Florian doet. Hij kijkt mijn kant op. Ik kan zijn gezichtsuitdrukking niet zien. Ik zoen Pieter nog inniger. Ik hoop dat Florian het tegen Mark zegt.

'Ga je met me mee naar huis?' fluistert Pieter in mijn oor.

Ik zie Florian weglopen en uit het zicht verdwijnen. Ik maak me los uit Pieters omhelzing. 'Nee.'

'Hmmm, spelen we hard to get? Daar hou ik wel van.'
Hij wil me weer zoenen, maar ik duw hem van me af.
'Sorry, ik meen het. Dit was een vergissing.'
'Een vergissing?' Pieters wangen worden knalrood en
hij knijpt zijn ogen tot spleetjes.
'Het spijt me. Maar je bent gewoon mijn type niet.'
Ik wil weglopen, maar hij pakt mijn arm beet.
'Hier blijven.' Zijn vingers drukken hard in mijn vel.
'Denk je echt dat je me hier zomaar kan laten staan?'
Hij buigt zijn hoofd en kust me ruw. 'Ik weet wel wat
je lekker vindt.'
'Laat me los.' Ik bijt op zijn onderlip.
'Verdomme, vuile trut.' Hij wrijft over zijn lip. 'Dit zet
ik je betaald.'
Ik draai me om en ga er snel vandoor. Mijn handen tril-
len. Ik durf niet achterom te kijken of Pieter me volgt.
Op de bank liggen Zoë en Michiel te zoenen.
'We gaan naar huis,' zeg ik.
'Straks,' mompelt Zoë. 'Ik ben bezig, zie je dat niet?'
Ik trek aan haar arm. 'Ik meen het. Ik wil naar huis.
Nú.'
Zoë gaat overeind zitten. 'Wat doe je vreemd.'
Ik zeg niks en kijk haar alleen maar aan.
'Hé,' zegt Michiel. 'Kan die vriendin van je niet alleen
naar huis gaan?'
'Nee, dat kan niet,' zegt Zoë zuchtend. 'Ze logeert bij
mij.'
Ze staat op en trekt haar topje recht.
Michiel schrijft snel wat op een bierviltje. 'Hier, mijn
telefoonnummer. Bel je me?'
'Hmmm,' antwoordt Zoë en ze glimlacht.
We lopen samen naar de garderobe. Ik kijk over mijn

schouder of ik Pieter nog zie, maar hij lijkt gelukkig van de aardbodem verdwenen.

'Nou, vertel, wat is er aan de hand,' zegt Zoë. 'Ik neem aan dat je hier een goede reden voor hebt. Het werd namelijk net gezellig met Michiel.'

Hoofdstuk 5

Ik staar uit het raam. Het is vies. De opgedroogde sporen van regendruppels kronkelen als riviertjes door het grijze stof. Auto's rijden stapvoets over de A4. Vijf minuten geleden was ik nog op Amsterdam Centraal Station. Nu zie ik alleen maar asfalt en weilanden. Ik leun achterover en zucht. De stoel naast me heb ik volgebouwd met mijn tassen, zodat niemand er kan zitten.

Uit mijn jaszak klinkt het liedje van *Sex and the City*. Ik pak mijn mobiel. Het is Zoë, lees ik op het schermpje.

'Ik mis je,' neem ik op.

'Gekkie, ik heb je net nog gezien op het station.' Ik hoor haar lachen.

'Waar ben je?'

'Ik zit in de tram op weg naar huis. Hé, weet jij toevallig waar mijn roze aansteker is? Die mooie met glittersteentjes.'

'Nee, hoezo?'

'Shit, dan is ie waarschijnlijk pleite. Ik wilde net een peuk roken, maar ik kon 'm niet vinden in mijn tas.'

'Wat zonde, het was echt een mooie aansteker. Waarom raak jij toch altijd alles kwijt?'

'Tja, geen idee. Het is een ziekte, denk ik.' Zoë grinnikt.

'Nog aan Pieter gedacht?'

'Ha, ha, grapjurk.' Na een nacht slapen kan ik alweer een beetje om gisteravond lachen. 'Ik kan beter aan jou vragen of je Michiel nog gaat bellen.'

'Echt niet. Ik heb alleen maar met hem gezoend omdat ik toeterzat was. Wat een sukkels waren het.'

'Zeg dat wel.'

'En daarbij, ik heb het twee weken geleden met Luuk uitgemaakt. Ik ben nog niet toe aan een nieuw vriendje.' Haar zucht klinkt dramatisch.

'Luuk? Van het Barlaeusgymnasium?'

'Nee, joh, dat was Hidde. Luuk was die gozer van vijfentwintig met wie ik een paar weken wat heb gehad. Beetje een vaag figuur. Maar zijn tongpiercing zoende wel lekker.'

'O ja. Hij woonde antikraak, toch?'

'Precies. Het was die jongen die de hele dag in bed lag te blowen.'

Hidde, Luuk, Michiel... Zoë wisselt de laatste anderhalf jaar zo snel van vriendjes dat ik het amper kan bijhouden.

'Luister, zal ik volgend weekend naar Rotterdam komen?' vraagt Zoë.

'Weet niet,' mompel ik.

'Kom op, Claire, dit slaat nergens op. Je woont er al drie maanden en ik ben nog nooit bij je geweest. Zo erg kan Rotterdam toch niet zijn? O, wacht even...'

Ik hoor Zoë tegen iemand praten.

'Ben je er nog?'

'Ja. Wie was dat?'

'Een controleur. Ze kwamen controleren. Wonder boven wonder had ik deze keer een strippenkaart ge-kocht, anders was ik goed het bokje geweest.'

De trein mindert vaart en duikt de donkere Schiphol-tunnel in.

'Boete... euro... belachelijk...' Zoë's stem kraakt en valt weg.

Ik heb geen bereik meer en klap mijn mobiel dicht. Lichtjes flitsen voorbij. En dan doemt station Schiphol op. De trein stopt en de deuren gaan open. Mensen met koffers lopen gehaast langs mijn raam en verdwijnen uit het zicht op de roltrap omhoog. Ik vis een pakje Sportlife Strong Mint uit mijn tas en stop een kauw-gumpje in mijn mond.

De conducteur blaast op zijn fluitje en de trein zet zich in beweging. We zoeven weer door de donkere tunnel. Ik tel de seconden. Na precies drieënveertig tellen zie ik daglicht. Mijn telefoon gaat over.

Zonder te kijken neem ik op. 'Hey Zoë, daar ben ik weer. We reden de Schipholtunnel in en je viel weg. Wat zei je nou over een boete?'

Het blijft even stil. Dan hoor ik een jongensstem ant-woorden. 'Met wie spreek ik?'

Mijn wangen worden rood. 'Oeps, foutje, ik dacht dat je iemand anders was.'

Hij lacht. Het is een volle, sympathieke lach. 'Dat vermoe-den had ik al. Jij bent toch Liliane? Liliane Overbeek?'

'Liliane? Nee, ik ben Claire.'

'Claire? Dan verkoop je zeker ook geen Xbox-games?'

'Eh, nee.'

De jongen kreunt. 'Shit, daar was ik al bang voor. Hé, sorry dat ik je heb lastiggevallen. Ik ga het nog eens proberen.'

'Oké, maakt niet uit. Doei.'

Ik leg mijn mobiel op het tafeltje naast me. Bijna direct gaat hij weer over.

'Met Claire.'

'O jee. Nog een keer met mij, je weet wel, die jongen van de Xbox.' Ik hoor hem zuchten. 'Volgens mij heb ik een verkeerd nummer gekregen.'

'Welk nummer heb je dan gebeld?'

'Eens kijken. Waar is dat bierviltje? Ah, hier. 06-2345346.'

'Dat is inderdaad mijn nummer. Wat vreemd. Hoe kom je eraan?'

'Van een jongen. Hij kocht wel vaker games bij die Liliane.'

'Kan je hem niet gewoon bellen en het goede nummer vragen?'

'Nee, ik ben hem gister tegengekomen in een café. Ik heb geen idee hoe hij heet of waar hij woont. Balen, daar gaat mijn goedkope versie van *Prince of Persia*. Nou ja, dan ga ik vanavond maar *Mens-erger-je-niet* spelen.'

Hij lacht, en ik moet met hem meelachen.

'Het spijt me dat ik je heb lastiggevallen met deze Xbox-onzin.'

'O, dat maakt niet uit. Ik zit me toch maar in de trein te vervelen.'

'Succes met je reis, Claire. Het was leuk om je gesproken te hebben. Ciao.'

'Dag.' Ik wil ophangen, maar dan schiet me wat te binnen. 'Wacht even,' roep ik gehaast. 'Je zei toch dat je op zoek was naar Xbox-games?'

Stilte. Ik ben bang dat hij de verbinding heeft verbroken. In gedachten hoor ik de kiestoon al. Een teleurgesteld gevoel bekruipt me. Dat verbaast me.

'Eh, ja,' hoor ik hem opeens zeggen.

Ik begin te glimlachen. 'Een jongen op mijn oude school verkoopt illegale kopieën. Misschien heeft hij dit spel ook.'

'Echt waar?'

'Ik weet het natuurlijk niet zeker, maar je kan het in ieder geval proberen. Zal ik je zijn nummer geven?'

'Heel graag. Wat onwijs aardig van je.'

Ik voel mijn wangen gloeien. 'Ach, ik dacht er toevallig aan. Wacht even.' Ik blader door het adresboek van mijn telefoon. 'Hij heet Thijmen en zijn telefoonnummer is 06-7856790. Doe hem maar de groeten van mij. Claire.'

'Ik weet je naam.'

'O ja, dat was ik vergeten.' Ik grinnik. 'Maar hoe heet jij eigenlijk?'

'Nick. Zeg, ik ga die Thijmen meteen bellen.'

'Ik zal voor je duimen.'

Nick lacht. 'Een beetje geluk heb ik wel nodig. Bedankt, hè.'

'Graag gedaan.'

'Mazzel.'

'Doei.'

De lijn ruist en kraakt. Ik luister nog een paar seconden, maar hij heeft echt opgehangen. Ik druk op het rode uitknopje. Op hetzelfde moment klinkt mijn ringtone weer. De vrouw aan de andere kant van het gangpad kijkt geïrriteerd en zucht heel overdreven.

Ik ontwijk haar blik. 'Ja?' neem ik op.

'Je was opeens in gesprek,' zegt Zoë klagend.

'O, iemand had een verkeerd nummer gebeld. Een jongen…'

Ze luistert al niet meer naar mijn antwoord. 'Ik heb besloten dat ik volgende week vrijdag, na school, naar Rotterdam kom. Wat jij er ook van vindt.'

'Vrijdag? Dat moet ik eerst aan mijn vader vragen. Ik wil niet dat Bernadet er dan ook is.'

'Wat kan Bernadet mij nou schelen? Je doet weer moeilijk, Claire. En daarbij, ik kan Bernadet prima aan. Heb je mijn spierballen wel 'ns goed bekeken? Ik leg haar met één pink op de grond.'

Ik zie voor me hoe Zoë met Bernadet ligt te worstelen, en gier het uit.

'Superwoman will save you, darling,' zegt Zoë hinnikend.

Een stem roept om: 'Het volgende station is Rotterdam Centraal, eindpunt van deze trein. Denkt u bij het verlaten van deze trein aan uw bezittingen.'

'Hé, ik moet hangen,' zeg ik. 'We bellen deze week nog wel even over vrijdag.'

'Bel jij mij dan? Mijn beltegoed is bijna op.'

'Oké. Doeg.'

Ik loop naar de voorkant van het station. Een regenvlaag waait in mijn gezicht. Mopperend maak ik mijn fiets los. Waarom regent het altijd in Rotterdam? Ik stap op en fiets langs het Hofplein, over de Coolsingel, naar de Erasmusbrug. Onze flat doemt als een grijze bunker op uit de regenbui. Ik zet mijn fiets in de fietsenkelder en loop naar de lift. Mijn spijkerbroek is doorweekt en mijn haren hangen in natte slierten langs mijn wangen. Ik druk op het knopje van de elfde verdieping en de lift zoeft omhoog. Onze voordeur grenst aan de centrale ruimte waar de lift stopt. Ik steek de sleutel in het slot. 'Hallo?' roep ik als ik naar binnen loop.

Geen antwoord. Het appartement is donker en koud. Ik knip het ganglicht aan en loop naar de keuken. Op het aanrecht ligt een briefje.

Lieverd, was het leuk bij Zoë? Ik heb vannacht bij Bernadet geslapen. Ik ben voor het avondeten weer thuis. We bestellen wel een pizza. Liefs, papa

Ik zet theewater op en hou een aansteker onder het briefje. Binnen een paar seconden is er niks meer van over.

Hoofdstuk 6

Anouk

'Ik zie je morgen op school. Doei!' Eva zwaait en slaat links af. Haar achterlicht verdwijnt in het donker. Ik fiets verder, de straat uit, onder de ringweg Noord door. De stad eindigt abrupt aan de andere kant van de fietstunnel. Het is net alsof iemand heeft besloten dat er na de snelweg geen huizen meer mogen staan. Het gebrom van het verkeer vervaagt en het wordt steeds stiller, totdat ik alleen nog maar de wind over de uitgestrekte weilanden hoor blazen.

Vijf jaar geleden zijn we naar Broek in Waterland verhuisd, een klein dorp net boven Amsterdam. Mijn ouders waren op zoek naar rust en ruimte. Nou, dat hebben ze gekregen. Er is helemaal niks in het dorp, zelfs geen bakker. Vroeger was ik na jazzballet in drie minuten thuis. Nu moet ik zeker tien kilometer fietsen door de koude, gure polder.

Mijn telefoon gaat. Ik klem 'm tussen mijn wang en schouder.

'Met Anouk.'

'Waar ben je?'

'O, hoi, mam. De les is net afgelopen. Ik fiets nu langs het kanaal. Nog een kwartiertje en dan ben ik thuis.'

'Zal ik een kopje thee voor je maken?'

'Lekker.'

'Fiets je voorzichtig? Het kan glad worden, hoorde ik net op het achtuurjournaal.'

'Ik zal oppassen. Hé, ik hang op, want ik kan zo niet sturen. Tot zo.'

'Dag lieverd.'

Met één hand klap ik mijn telefoon dicht en ik stop hem in mijn jaszak. Vanuit de verte komt een tegenligger aangereden. Een scooter, hoor ik aan het geronk. Het felle licht komt steeds dichterbij. Ik knijp mijn ogen tot spleetjes, en ga een beetje opzij, zodat de scooter kan passeren. Dan is het weer donker. Het geluid van de scooter verdwijnt in de verte.

Ik probeer te bedenken wat ik vanavond allemaal nog moet doen. Er ligt een berg huiswerk op me te wachten. Ik had mijn vader beloofd om oma weer eens te bellen. En om half-negen begint House, mijn lievelingsserie. Als ik doorfiets haal ik dat nog net. Opeens hoor ik achter me een vreemd geluid. Klik, klik, klik, klik. Alsof er een fietswiel aanloopt. Ik kijk over mijn schouder. Het is pikkedonker. Ik zie niets of niemand. Toch bekruipt me een ongemakkelijk gevoel. Ik trap wat harder. Het geklik houdt op. Misschien was het wel een beest. Ik glimlach. Het is eigenlijk idioot dat dingen in het donker altijd duizend keer enger lijken dan overdag.

Het fietspad komt bij een kruising. Van rechts zie ik een lampje naderen. Ik ben de eerste die de splitsing passeert. De andere fietser rinkelt met zijn bel, en ik maak plaats. De fietser komt naast me op zijn bakfiets. Ik verwacht dat hij me inhaalt, maar hij vertraagt, zodat we plotseling zij aan zij fietsen. Verbaasd kijk ik naar links. Op de bakfiets zit een grote man met een donkere jas. Zijn gezicht is verborgen in de schaduw van zijn capuchon. Het ongemakkelijke gevoel is weer terug. Wat gedraagt deze vent zich vreemd.

Ik ga langzamer fietsen en laat mijn hand onopvallend in

mijn jaszak glijden. Mijn mobiel voelt veilig aan. Binnen een paar seconden heb ik iemand aan de lijn, als dat nodig is. De man blijft in hetzelfde tempo doorfietsen en passeert me. Ik haal opgelucht adem. Zie je wel, niks aan de hand. Ik laat mijn mobiel los.

Voor me begint de man opeens te slingeren. Ik hoor hem kreunen en hij grijpt naar zijn borstkas. Zijn bakfiets wiebelt gevaarlijk. 'Pas op,' roep ik. Maar het is te laat. Hij valt om. Ik kan niet meer remmen en knal boven op hem. Het asfalt schaaft mijn handen en knieën open. 'Sorry,' stamel ik. 'Gaat het?' Ik wil overeind krabbelen, maar twee handen pakken mijn benen vast. Voordat ik begrijp wat er gebeurt, lig ik in de berm. 'Hè, wat…' De man rolt boven op me en drukt mijn mond dicht.

O, nee, o, nee, o, nee! *Mijn ademhaling stokt. Ik kan me niet meer bewegen. Ik kan niks meer. Ik kan alleen nog maar naar zijn gezicht staren.*

De man duwt zijn hand nog harder op mijn mond en snauwt: 'Als je meewerkt, mag je straks naar huis.'

Hij liegt. Ik zie het in zijn harde, kille blik. Hij wil me helemaal niet laten gaan. God mag weten wat hij wel met me van plan is. Opeens weet ik wat ik moet doen. Ik concentreer me op mijn ademhaling. Adem in, adem uit. Ik mag niet bang zijn, ik heb maar één kans. Voorzichtig span ik mijn spieren. De man rommelt met zijn vrije hand in zijn jaszak. Hij kijkt even van me weg, in de richting van zijn uitgestrekte arm.

Dit is het goede moment. Ik moet het nu doen. Met een schreeuw kom ik in beweging. Mijn benen trappen in het rond. Mijn nagels klauwen naar zijn jas. Zijn gezicht draait zich razendsnel naar mij terug. 'Wel verdomme,' hoor ik hem zeggen. Ik schud wild met mijn hoofd en gil. Mijn kreten worden door zijn hand gesmoord. Ik bijt in zijn vinger.

'Vuil kreng.' Hij ramt zijn vrije hand op mijn neus en knijpt mijn neusvleugels dicht. Een felle pijn trekt door mijn neusbot en laat mijn ogen tranen. Ik hap naar adem, maar krijg geen lucht.

'Kappen met deze onzin, anders laat ik je stikken. Snap je dat?' Ik verroer me niet. Mijn hart racet door mijn borstkas. Ik knipper met mijn ogen, als teken dat ik hem begrijp. Hij kijkt me uitdrukkingsloos aan. Waarom haalt hij zijn hand niet weg? Ik raak in paniek en knipper nog een keer met mijn ogen.

'Hmm,' mompelt de man. 'Ik vertrouw het niet. Je hebt me behoorlijk hard gebeten. Hoe weet ik zeker dat je voortaan naar me luistert?'

Mijn longen doen pijn. Mijn oren zoemen. Ik smeek met mijn ogen. Ik zal het nooit meer doen, ik zal het nooit meer doen.

En dan laat hij opeens mijn neus los. Ik snuif de lucht diep in.

'Zul je vanaf nu een braaf meisje zijn en meewerken?'

'Ja,' zeg ik schor. Een traan rolt over mijn wang.

'Goed zo, stomme jazzballetteef.'

Zijn gezicht komt nog dichterbij. Ik voel zijn adem op mijn wangen. Hoe weet hij dat ik op jazzballet zit? Maar mijn gedachten zijn te chaotisch om er lang bij stil te staan.

'We gaan een stukje rijden.' De man rommelt weer in zijn jaszak. 'Ah, hebbes. Dit doet even pijn, maar daarna ga je lekker slapen.'

Hij duwt een naald in mijn bovenbeen, dwars door mijn spijkerbroek heen. Een warm, prikkend gevoel verspreidt zich. Binnen een paar tellen begint alles te draaien. Ik sper mijn ogen zo wijd mogelijk open. Wat heeft hij me in hemelsnaam gegeven?

Mijn moeder, wanneer zou mijn moeder ongerust worden en de politie bellen? O alsjeblieft lieve mama, bel nu de politie.

Mijn armen en benen worden zwaar en gaan tintelen. Ik probeer mijn vingers te bewegen. Ik mag niet wegzakken. Ergens onderbewust weet ik dat het dan afgelopen is.

Toen ik vijf was ben ik een keer bijna verdronken. Ik was in het zwembad bij ons appartement gevallen. Ik weet nog dat ik wegdreef, steeds verder en verder. Maar ik was niet bang. De wereld onder water was zo mooi en zo vredig. Mijn vader heeft me net op tijd uit het zwembad gevist.

Waarom denk ik hier ineens aan? Zwarte vlekken dansen voor mijn ogen. Ik voel het gewicht van zijn lichaam niet meer op het mijne drukken. Het lijkt alsof ik zweef.

Ik zou gered zijn als er nu iemand langsfietste. Maar er fietst niemand langs.

'Doe je ogen verdomme eens dicht. Waarom werkt dat spul bij jou niet?' hoor ik hem zeggen.

Hou ze open, hou ze open, hou ze open. Het lukt niet. Mijn ogen vallen dicht. En dan zak ik weg in het duister.

Hoofdstuk 7

De vrouw achter het bureau kijkt me peinzend aan. Ik word een beetje nerveus van haar gestaar, en frunnik aan een loszittend velletje bij mijn nagel.

'Hoe lang is het geleden dat je moeder is overleden? Bijna een jaar?' vraagt ze opeens.

Ik schrik. Eigenlijk schrik ik altijd als iemand zegt dat mijn moeder dood is. Het went nooit. Ook niet na elf maanden, twee weken en vier dagen.

'Ze had kanker, toch?' vraagt ze verder.

Ik kijk naar buiten. Op het schoolplein staat een groepje leerlingen. Een jongen trapt tegen een bal. Mijn moeder had inderdaad kanker. Alvleesklierkanker. Maar dat kan ze ook op het papier lezen dat voor haar neus ligt. Ik hou mijn lippen stijf op elkaar. Dit hele gedoe is het idee van mijn vader. Hij had gehoord dat er bij ons op school een maatschappelijk werkster kwam die gespecialiseerd is in rouwverwerking. Ik was zo kwaad toen papa me gisteravond vertelde dat hij met de schoolleiding een afspraak had geregeld. Waarom gaat hij verdorie zelf niet op woensdagmiddag praten met Lydia Merkens?

'Zullen we het over je oude school hebben?' hoor ik haar zeggen.

'Hmm.' Ik zit nog een halfuur met dit mens opgescheept. We moeten het toch ergens over hebben. Dit klinkt als een veilig onderwerp.

'Je bent in de zomervakantie verhuisd, lees ik hier.'

'Ja,' antwoord ik zuchtend.

'Waarom zijn jullie verhuisd?'

'Mijn vader kreeg een nieuwe baan. Bij Shell.'

Ze knikt en schrijft iets op. 'Het zal best wennen voor je zijn. Een nieuwe stad, een nieuwe school, een nieuw huis.'

'Mwah.' Ik haal mijn schouders op.

'Hoe was je oude school?'

'Prima.'

'Had je veel vriendinnen?'

'Best wel.' Ik denk aan Machteld, Alexandra, Els, Minouche, Mirte. Het leek zo'n hecht vriendengroepje. Maar ik spreek eigenlijk alleen Zoë nog vaak.

'Mis je ze erg?'

'Soms.' Ik schuif over mijn stoel. Wat wil ze in hemelsnaam met dit gesprek bereiken? Dat ik in tranen uitbarst en beken dat ik me hier in Rotterdam vreselijk eenzaam voel? Mooi niet. Ik kijk op mijn horloge. Nog drieëntwintig minuten.

Lydia Merkens vouwt haar handen samen. 'Op je vorige school waren je cijfers redelijk. De laatste tijd gaat het wat minder goed, nietwaar?'

Ze glimlacht, alsof ze een gezellig praatje met me maakt.

'Ach, die paar onvoldoendes werk ik zo weg.'

'Dat zou kunnen. Maar het wordt denk ik wel lastig. Over een paar maanden is je eindexamen al. Zo veel

kansen krijg je niet meer om je cijferlijst op te poetsen.'
Ze glimlacht nog steeds.

'Dat zien we dan wel weer.'

'Heb je al een gesprek met de conrector gehad over je resultaten?' Ze bladert door mijn dossier. 'Ik kan er geen aantekening over vinden.'

'Nee, ik heb geen gesprek gehad,' antwoord ik. *En dat wil ik ook niet*, denk ik erachteraan.

Lydia Merkens lijkt mijn onwil niet op te merken, want ze gaat onverstoorbaar verder. 'Je zou daar eens over moeten denken, Claire. Hij kan je helpen met een studieplan, bijles, en ga zo maar door. Heel handig in jouw geval. Ik kan het gesprek voor je regelen, als je dat wilt?'

'Dat hoeft niet.'

De glimlach verdwijnt van haar gezicht. 'Het is natuurlijk je eigen keuze, en ik wil je absoluut nergens toe dwingen, maar het lijkt mij verstandiger om het wél te doen.'

Ik zwijg. Lydia Merkens knijpt haar mond tot een strenge, smalle streep. Ik hoor haar horloge tikken.

'Oké, dan niet,' doorbreekt ze de stilte. 'Laten we het over iets anders hebben. Hielp je moeder je vroeger vaak met je huiswerk?'

Boem. Het voelt als een klap in mijn gezicht. Ze is totaal onverwacht weer bij mijn moeder uitgekomen. Ik ga rechtop zitten. 'Dat kan ik me niet meer herinneren.'

'Echt waar?' Ze schudt haar hoofd. 'Weet je, waarom vertel je me niet iets anders over je moeder? Wat mis je het meeste van haar?'

Daar hoef ik niet over na te denken. Het zijn vooral de alledaagse dingen die ik mis. Dingen waarvan ik vroeger niet eens wist dat ik ze bijzonder vond. De schone handdoek die ze altijd voor me in de douche klaarlegde. Of de boterhammen die ze elke ochtend voor me smeerde. De briefjes die ze op mijn kamerdeur plakte zodat ik niks zou vergeten. Elke dag mis ik mama in een duizend kleine dingen. Maar dat ga ik Lydia Merkens met haar irritante vragen niet vertellen.

'Ik zou het niet weten,' antwoord ik.

Ze zucht. 'Claire, het is vreselijk ingrijpend om je moeder te verliezen. Maar je kunt je gevoelens niet blijven opkroppen. Je moet erover gaan praten, het een plekje geven. Ik snap dat je boos bent. En verdrietig. Maar geef je verdriet alsjeblieft een kans.'

'Leeft uw moeder nog?'

Lydia Merkens kijkt me verrast aan. 'Eh, ja.'

'Is ze ernstig ziek?'

'Nee.' Ze fronst. 'Waar wil je naartoe?'

Ik leun een stukje naar voren. 'Dan kunt u ook niet weten hoe ik me voel. Ik word gek van al die mensen die hun mening maar klaar hebben. Claire dit, Claire hier, Claire daar... Niemand weet hoe ik me echt voel. U ook niet.'

Haar ogen worden groot, en daarna heel klein. 'Nee, dat klopt. Maar ik werk al tien jaar in dit vakgebied, dus je mag verwachten dat ik iets van rouwverwerking af weet.'

Ze trommelt met haar vingers op het bureau. 'Luister Claire, er zijn op internet praatgroepen waar je jongeren kunt ontmoeten die ook een ouder hebben verloren. Je bent namelijk niet de enige in deze situatie. Misschien vind je het prettig om op zo'n forum je gevoelens te delen.'

Ze schrijft iets op een papiertje. 'Dit is een goede web-
site. Kijk maar of het wat voor je is.'

Ik stop het papiertje zonder ernaar te kijken in de zak
van mijn spijkerbroek.

'Heb je verder nog vragen?' De uitdrukking op haar
gezicht is zakelijk en afstandelijk. Waarschijnlijk heeft
ze het helemaal met me gehad. Ik in ieder geval wel
met haar.

'Nee.'

Ze staat op. 'Tot ziens, Claire. En succes met alles.'

Ik schud haar uitgestoken hand en loop naar buiten.
Op mijn horloge zie ik dat onze afspraak zeven minuten te vroeg is geëindigd.

Papa zit aan de keukentafel als ik thuiskom. Hij roert in
een koffiemok en kijkt me glimlachend aan.

'Wat doe jíj hier?' vraag ik, terwijl ik mijn jas aan een
stoel hang. 'Moet je niet werken?'

'Jawel. Maar ik wilde graag weten hoe je gesprek ging.
Ik spijbel een paar uurtjes van kantoor.' Hij geeft me
een knipoog. 'Nou vertel, hoe was het?'

'Het was onwijs stom.' Ik schenk een glas melk in en
drink het in één keer op.

'Stom? Hoezo?' Pap kijkt me verbaasd aan.

'Gewoon.' Ik veeg mijn mond met mijn mouw af.

'Was ze niet aardig?'

Ik haal mijn schouders op.

'Volgens je school had die mevrouw Merkens heel veel
ervaring. Klikte het niet tussen jullie?'

'Paaap, hou op. Ik heb geen zin om erover te praten.'

Er komt een gekwetste blik in zijn ogen. 'Je sluit me
buiten, Claire. Waarom doe je dat toch? Vroeger vertel-

de je me altijd alles. Maar sinds mama dood is lijkt het wel alsof je onbereikbaar voor me bent geworden.'

'Vroeger bestaat niet meer, pap.'

Hij staat op en loopt een paar passen naar me toe. 'Mama had dit nooit gewild. Laten we alsjeblieft weer normaal tegen elkaar doen. Ik mis de oude Claire.'

'Hou mama erbuiten,' snauw ik. 'Hoe kan je weten wat ze had gewild? Ze is dood. En daarbij, ze had vast niet gewild dat jij na tien maanden al een nieuwe vriendin had.' Ik loop stampvoetend naar mijn kamer en trek de deur met een harde knal dicht.

Hoofdstuk 8

'Wil je nog wat aardappelpuree, Claire?'
'Nee dank je, pap, ik heb genoeg.'
Papa en ik zitten tegenover elkaar. We hebben het niet meer over vanmiddag gehad. Toen hij om halfzeven riep dat het avondeten klaar was, ben ik uit mijn kamer gekomen en gaan zitten. Pap zette de pannen op tafel en dat was het. Alsof we nooit ruzie hadden gemaakt.
'Wat zijn je plannen voor het weekend?' vraagt hij.
'Zoë komt vrijdag logeren.' Ik prik een paar boontjes aan mijn vork. 'Is dat goed?'
'Natuurlijk. Gezellig om haar weer eens te zien. Ik kom vrijdag niet al te laat van mijn werk…' Hij slaat zijn hand tegen zijn voorhoofd. 'O, wat stom. Ik ben er vrijdag niet. Bernadet heeft me uitgenodigd voor een etentje in Maastricht. We slapen daar ook. Ik kom zaterdag pas in de loop van de dag weer thuis.'
Hij kijkt me aan alsof hij bang is dat ik weer boos word. Maar ik ben ontzettend opgelucht dat Zoë en Bernadet elkaar dit weekend niet gaan ontmoeten.
'Misschien kan Bernadet het nog verzetten,' zegt pap haastig. 'Ik kan haar straks…'

'Nee, nee, dat hoeft niet,' onderbreek ik hem snel. 'Zoë en ik gaan allemaal dingen doen. We zijn toch niet thuis.'

'Weet je het zeker?'

'Ja.'

We zwijgen gedurende de rest van het eten. Ik neem nog een hap van mijn schnitzel en schuif mijn bord weg. 'Ik ga mijn huiswerk maken.'

'Zal ik je straks een kopje thee komen brengen? Ik heb vanmiddag brownies gekocht bij de bakker.'

'Prima.'

Pap kijkt wat teleurgesteld, alsof hij had verwacht dat ik hem om de hals zou vliegen voor een brownie. Ik probeer nog wat aardigs tegen hem te zeggen. 'Wat ga jij vanavond doen?'

'Lezen. Ik heb een nieuw boek gekocht, *Overvloed en onbehagen*. Het gaat over de Nederlandse cultuur in de Gouden Eeuw.'

'Dat klinkt... interessant.'

Papa grijnst, en hij ziet er opeens een stuk minder moe en zorgelijk uit. 'Wegwezen jij, voordat ik je uit het boek ga voorlezen. Interessant? Ik geloof er niks van.'

Ik loop lachend naar mijn kamer.

Het scherm van mijn computer is akelig wit en leeg. Morgen moet ik een werkstuk voor Geschiedenis inleveren over de rol van de vrouw in de Tweede Wereldoorlog. Ik heb een berg aan informatie gevonden op Google en Wikipedia. Maar ik kan me er niet toe zetten om alles te lezen, laat staan om er een verhaal van te maken. Nog een onvoldoende voor Geschiedenis zou rampzalig zijn. Ik sta een 5,2 gemiddeld. Misschien moet ik me morgen maar ziek melden. Ik zucht en klik het lege document weg. Zoë is online, zie ik op mijn Hyves-pagina.

Heyyyy, wat ben je aan het doen? **typ ik.**

Me vervelen, whahahaha. En jij? **antwoordt Zoë bijna direct.**

Huiswerk ☹

Boring!!!

I know… Jij nog wat spannends te melden?

Jaaaa! Roddel, roddel, roddel.
Weet je nog wie Anouk is?

Anouk? Eh, nee.

Ze is dat meisje van jazzballet.
Met dat lange, donkere haar. Ik heb toen bijna haar oude balletschoenen gekocht, weet je nog?

Zoë en ik hebben vorig jaar een paar lessen jazzballet gevolgd. Ik kan me alleen nog maar herinneren dat ik over mijn benen struikelde. Zoë kende natuurlijk binnen tien minuten de hele groep. Ik graaf in mijn geheugen.

Woonde ze in Broek in Waterland?

Yep. Ze is zaterdag niet meer thuisgekomen na de les. Niemand weet waar ze is.

Wat is er dan gebeurd?

De politie denkt dat ze is weggelopen. Mijn moeder had het bij de bakker gehoord.

Heftig!

Ja. Btw, hoe laat zal ik vrijdag komen?

Kom maar meteen na school.

Okidoki. Dan ben ik er rond een uurtje of 3.

Gezellig!

Ik ga afsluiten. Slaap lekker voor straks!

Jij ook. Kusje xxx

Hoofdstuk 9

Het lijkt net een scène uit een romantische film. De deuren van de trein gaan open en Zoë rent met wapperende haren naar me toe, terwijl ze iedereen die in de weg staat opzij duwt. Ze vliegt me om de nek en roept: 'O lieverd, ik heb je zo gemist.' Ik val bijna om en probeer me te bevrijden uit Zoë's greep.

'Idioot,' lach ik. 'Hoe was je treinreis?'

Zoë zucht overdreven. 'Vre-se-lijk. Achter me zat een jankende baby. En voor me zaten twee jongetjes die alleen maar schreeuwden. Het leek wel alsof we op weg waren naar de fucking Efteling, er waren echt overal kinderen. Ik ga nooit meer met de trein.'

Ik grijns. 'Dan fiets je de volgende keer toch naar Rotterdam?'

'Ha, ha, grapjurk.' Zoë grijnst. 'Kom, we dumpen mijn spullen bij jou thuis, en dan gaan we lekker shoppen.' Ze geeft me een arm en hangt haar rugzak over haar andere schouder. 'Ik heb zo'n zin in dit weekend.'

De Koopgoot is een van de drukste winkelstraten in Rotterdam. Zoë wilde er per se naartoe, want: 'Alle vette winkels zitten daar. De Mango, Zara, H&M, Six, dat snap je toch wel?'

'Maar die heb je ook in Amsterdam,' probeerde ik nog. 'Het is echt zelfmoord om op vrijdagmiddag door de Koopgoot te lopen.' Maar Zoë was niet te vermurwen. En daarom schuifelen we nu door een bijna ondoordringbare mensenmassa. Kinderwagens, uitpuilende boodschappentassen en rollators maken het nog moeilijker om vooruit te komen. Zoë blijft bij elke etalage stilstaan.

'Het is hier geweldig,' zegt ze stralend. 'Kijk, daar is de H&M.' Ze trekt me door de schuifdeuren naar binnen. 'Dit is leuk.' Zoë trekt een truitje uit het rek. 'En deze spijkerbroek ook. O, en dit jurkje is echt iets voor jou.'

Ik kijk naar het grijze jurkje dat ze voor mijn neus houdt. Het is heel kort en heel bloot. Ik ben bang dat ik er nooit in pas, maar Zoë is alweer verdwenen naar een ander rek. Tien minuten later kan Zoë de stapel kleren in haar armen amper nog vasthouden. 'We gaan passen,' murmelt ze. De rij voor de pashokjes is vreselijk lang. Zoë's humeur lijkt onverwoestbaar. 'Deze H&M is super chill. Kom je hier vaak?'

'Nee,' zeg ik mismoedig. 'Te druk.'

Na een halfuur zijn we eindelijk aan de beurt. Een meisje vertelt dat we maximaal zeven kledingstukken mogen meenemen. Zoë kijkt teleurgesteld en geeft de helft van haar stapel aan het meisje. We krijgen een plastic hanger met het cijfer 7 erop.

'En niet met z'n tweeën tegelijk in een pashokje,' zegt het meisje met een ongeïnteresseerd gezicht.

'Ga jij maar eerst,' zegt Zoë. Ze geeft me het grijze jurkje en een roze truitje.

Ik hang mijn jas op een haakje en trek mijn trui uit. In het felle tl-licht lijkt mijn buik doorschijnend wit. Over mijn rug loopt een rode striem van mijn bh-bandje. Ik pak snel het roze truitje en laat het over mijn hoofd glijden. De hoge col kriebelt in mijn nek en ik stap zuchtend naar buiten.

Zoë trekt haar wenkbrauwen op, fronst en zegt vervolgens: 'Dit ziet er niet uit. Je lijkt wel een varken met overgewicht. Meteen uittrekken.'

Ze doet niet eens moeite om het aardig te brengen. Ik staar haar perplex aan en voel dan een lachkriebel opkomen. 'Hé bedankt. Jij hebt het voor me uitgezocht,' zeg ik giechelend.

'Sorry, foutje,' grijnst ze. 'Probeer dat grijze jurkje eens.'

'Alsof dat leuk staat.' Ik loop terug naar het pashokje en wurm me uit het roze coltruitje. Ik pak het jurkje. De stof voelt glad en koel op mijn lichaam aan.

'Hou je laarzen aan,' hoor ik Zoë roepen.

Ik strijk een paar plooien glad en doe de klapdeurtjes open. 'Nou, en, wat vind je ervan?'

Zoë's mond valt open. 'Ben jij dit? Je ziet er geweldig uit!'

'Echt?' Ik draai een rondje voor de spiegel. Het jurkje past perfect en maakt mijn benen heel lang en dun. Ik haal het elastiekje uit mijn haar en schud mijn rode krullen los.

'Dit moet je kopen!' gilt Zoë. 'Alle jongens zullen vanavond kwijlend aan je voeten liggen.' Een paar klanten kijken geïrriteerd onze richting op.

'Sssst,' zeg ik lachend.

'Nu ik.' Zoë springt het pashokje in.

Ze komt naar buiten in een strakke, zwarte heupbroek

en een topje met pailletten dat boven haar navel eindigt. Haar buik is plat en bruin, en haar blonde haren glanzen in het kunstlicht. Ze lijkt zo uit de *Elle* of *Cosmo* te zijn weggelopen. 'Is het wat?' Ze bekijkt zichzelf van alle kanten. 'Ik weet het niet, hoor.'

'Het staat je super goed.' Eigenlijk staat alles haar altijd goed. Als ze niet mijn beste vriendin was, dan zou ik zeker jaloers op haar zijn geweest.

Zoë geeft me een knipoog. 'We gaan los vanavond. Kom, laten we afrekenen. Ik heb mijn kleedgeld voor deze maand gelukkig net gekregen.'

Met twee plastic tassen lopen we de H&M uit.

'Zullen we naar huis gaan?' vraag ik. 'Het is halfzes.'

'Nu al?' Zoë kijkt me verbaasd aan. 'Ik wil eigenlijk nog even naar de Bijenkorf. Een nieuwe lipgloss voor vanavond kopen.'

Ik kreun. 'De Bijenkorf? Het is daar altijd hartstikke druk.'

'Joh, we gaan er niet kamperen. Ik ben zo klaar, echt. En daarna gaan we naar huis, beloofd.'

Via de ingang aan de Koopgoot lopen we de Bijenkorf in. Zoë rent bijna naar de MAC-stand toe. 'Mijn lievelingsmerk,' roept ze, terwijl ze haar H&M-tas op de grond gooit. Uit het schap pakt ze een knalrode tester en ze smeert wat lipgloss op haar lippen. 'Wat vind je ervan?'

'Mwah, een beetje te rood.'

'Hm.' Zoë poetst haar mond met een tissue schoon en pakt een paarse tester. 'En deze?' Ze tuit haar lippen en knippert met haar ogen.

Ik proest het uit. 'Vreselijk, je mond is helemaal blauw.

Waarom probeer je dit kleurtje niet?' Ik draai me om en pak een lichtroze gloss. En dan opeens zie ik ze. Mandy en Eline. Twee meiden uit mijn klas. Of beter gezegd: de twee populairste meiden uit mijn klas. Ze lopen langs de MAC-stand. Ik wil snel een andere kant op kijken, maar Elines blik blijft op me rusten.

Ik bevries. 'O, eh, hoi,' stamel ik.

'Hé, Claire,' zegt Eline ongeïnteresseerd.

Mandy zegt niks en kijkt verveeld een andere kant op. Zoë staat binnen twee stappen naast me. Ze steekt haar hand uit. 'Hai, ik ben Zoë.'

Ze staren haar verbaasd aan en schudden dan aarzelend haar hand.

'Zoë is een vriendin uit Amsterdam,' zeg ik snel.

'O, echt waar?' Ze kijken me aan alsof ze niet kunnen geloven dat ik vriendinnen heb.

'Mandy en Eline zitten bij me in de klas,' stamel ik.

'Wat leuk dat we twee vriendinnen van je tegenkomen,' zegt Zoë.

Mijn wangen worden rood en ik weet niet wat ik moet antwoorden. Eline rolt met haar ogen. Zoë lijkt de ongemakkelijke situatie niet op te merken. 'Vette laarzen,' zegt ze tegen Mandy. 'Waar heb je die gekocht? Ik zoek al máánden naar dit soort laarzen.'

Mandy fleurt zichtbaar op. 'Dank je. Ik heb ze bij Silhouette gescoord. Dat zit op de Karel Doormanstraat. Ze hebben uitverkoop. Trouwens, ik vind jouw jas ook helemaal ge-wel-dig!'

Zoë legt een hand op Mandy's arm. 'Hij is vintage. Gevonden bij Laura Dols, een tweedehandswinkeltje in de Jordaan. Ik was meteen verliefd op die dikke, roze stof met grote knopen.'

'Ik wou dat ik dit soort spullen ook in Rotterdam kon kopen,' verzucht Eline. 'Alles wat je hier vindt is zo standaard en zo saai.'

'Weet je,' zegt Zoë. 'Anders komen jullie een keer naar Amsterdam? Dan laat ik alle leuke winkeltjes zien.'

Ze glimlachen breed. 'Wat onwijs aardig van je,' kirt Mandy.

'Ach.' Zoë haalt haar schouders op en grijnst. 'Zeg, weten jullie nog een goeie club voor vanavond?'

'De Hollywood Music Hall,' antwoordt Eline. 'Het TMF café is super vet. En de grote hal met Danceplanet ook.'

Ik trek aan Zoë's mouw. 'We moeten gaan.'

'Hè, wat, gaan? O, oké.'

Mandy kijkt op haar horloge. 'Wij moeten er ook vandoor. Doei, hè.'

Ze zwaaien naar ons. Ik weet zeker dat ze zonder zwaaien waren weggelopen als Zoë niet naast me had gestaan.

'Doei, doei,' roept Zoë.

Ze draait zich naar mij om. 'Leuke meiden.'

Ik snuif. Het is werkelijk niet te geloven: Zoë is nog maar een paar uur in Rotterdam en ze heeft al meer vrienden gemaakt dan ik in drie maanden.

'Niet zo sip kijken,' zegt ze. 'Dat is nergens voor nodig. Kom, we gaan wat eten. Ik heb zin in een hamburger. Is er hier een McDonald's of Burger King in de buurt?'

We zitten bij het raam van de McDonald's in de Koopgoot. Zoë heeft een Big Mac supersize menu met frietjes, twee fritessaus en een milkshake vanille. Ik heb een salade genomen, anders moet ik vanavond de hele tijd mijn buik inhouden in het grijze jurkje.

'Wat heb je gisteravond gedaan?' vraag ik.

Zoë neemt een grote hap van haar Big Mac. 'Hm-hm.' Ze kauwt en slikt. 'O, niks bijzonders. Ik heb wat gedronken met Machteld en Els in café Stevens, you know, the usual voor een donderdagavond. Je krijgt trouwens de groeten van ze.'

'O.' Ik prik een tomaat aan mijn plastic vorkje.

'O? O? Wat is dat voor antwoord.'

'Gewoon.' Ik bijt op de tomaat die taai en smaakloos is.

'Gewoon?' Zoë schuift haar stoel naar achteren. 'Dat moet je me toch eens uitleggen.'

Ik haal mijn schouders op. 'Ik baal gewoon een beetje dat Machteld en Els me bijna nooit meer bellen.'

Zoë legt haar hamburger neer, zucht, en pakt mijn hand. 'Luister, Claire. Ik vind je lief, grappig, en ik hou vreselijk veel van je. Maar je moet niet alleen Machteld en Els de schuld geven. Jij kan ze óók bellen.' Hoe vaak heb jij ze de afgelopen tijd gebeld?'

Ik schuif een slablaadje heen en weer door de vette slasaus. 'Weet niet. Niet zo vaak.'

'Precies,' zegt Zoë. 'Dat bedoel ik nou. Ik snap dat het hartstikke moeilijk voor je is, met je moeder, de verhuizing en zo. Maar je moet ook geen mopperende kluizenaar worden. Ik kan toch niet je enige vriendin zijn?'

Er valt een stilte. Ik heb zin om haar milkshake omver te duwen. Of haar frietjes een voor een te breken. Ze zou voor míj moeten opkomen. 'Wat doe je stom.'

'Nee, jij doet stom.'

We staren elkaar zwijgend aan.

Opeens glimlacht Zoë. 'Ik heb zin in een Sundae-ijsje met extra karamel en heel veel nootjes. Jij ook? Ik trakteer.'

Ik weet even niet wat ik moet zeggen.

Hoofdstuk 10

De buitenkant van de Hollywood Music Hall wordt verlicht door ontelbaar veel kleine lampjes. Het ziet er spectaculair uit. Zoë springt van de bagagedrager en ik zet mijn fiets op slot tegen een lantaarnpaal. We gaan in de lange rij staan. Ik wilde vroeg weg. Maar volgens Zoë was het 'zo on-cool om er voor twaalven te zijn.' We hebben thuis eerst een halve fles wijn van mijn vader opgedronken. En Zoë heeft vijf sigaretten op het balkon gerookt.

Na een halfuur staan we eindelijk vooraan. We betalen negen euro en mogen naar binnen. 'Kicken,' zegt Zoë en ze fluit bewonderend. Ik ben ook onder de indruk. Alles glittert, is van zilver, of wordt verlicht door felgekleurde lampen. Aan de muren hangen posters en grote tv-schermen. We brengen onze jas naar de garderobe en halen daarna muntjes bij de muntverkoop. Zoë propt de fiches in de zak van haar heupbroek.

'Waar wil je naartoe?' vraagt ze. 'De R&B Planet, de Party Planet of de Lounge Beach? Wauw, deze tent is echt te gek.' Ze wurmt zich tussen de mensen door, terwijl ze mij met zich meetrekt. Ellebogen stoten in mijn zij, ik schop tegen benen, maar Zoë hupt handig door de menigte. 'Moet je zien,' roept ze. 'Er is ook een Dance Planet. We gaan dansen, kom.'

We lopen door de metalen klapdeuren. Een muur van harde housemuziek, warmte en rook komt op ons af. Laserstralen schieten door de lucht en flitsen over de uitzinnige menigte. De zaal is nog groter dan twee voetbalvelden. Aan het plafond hangt een schommel waarop een jongen staat. Hij draagt een zwarte body-suit en in zijn hand heeft hij een zwaard. Onder luid gejoel maakt hij vechtbewegingen. Op het podium dansen meisjes in piepkleine bikini's.

Zoë trekt aan mijn arm. Ik zie haar mond bewegen, maar ik heb geen idee wat ze zegt, zo hard staat de muziek.

'Hè, wat?' gil ik.

Ze buigt haar hoofd en schreeuwt in mijn oor. 'Wil je ook een Bacardi Cola?'

Ik steek mijn duim op. 'Lekker.'

'Ben zo terug.' Ze verdwijnt in de krioelende massa.

Ik frunnik aan mijn grijze jurkje. Ik haat het om achter te blijven. Zonder Zoë voel ik me enorm opgelaten. Zou iedereen denken: heeft dat meisje geen vrienden? Ik probeer me een houding te geven, maar mijn armen hangen slap en onhandig naast mijn lichaam.

Na vijf lange minuten komt Zoë eindelijk terug. Ze geeft me een glas met een bruin, waterig drankje.

'Cheers.' Ze drinkt de helft van haar glas op.

Ik neem een slokje. Het spul brandt in mijn keel en ik moet hoesten. 'Wat ís dit?'

Zoë grijnst. 'Het is een dubbele Bacardi Cola. Dan

worden we lekker snel dronken. Schiet op, we gaan dansen.'

'Wil je me dood hebben?' Ik sla het glas in één keer achterover. De tranen springen in mijn ogen. 'Jakkes.'

We gaan de dansvloer op. De harde bas trilt in mijn lichaam. Alle lijven bewegen in hetzelfde ritme. Benen, armen en ruggen schuren tegen me aan. Ik kan niets anders dan meebewegen op de beat van de muziek. Bij elke danspas die ik maak kruipt mijn jurkje omhoog. Een jongen kijkt ongegeneerd naar mijn benen. Zijn blik blijft bij mijn billen rusten. Ik krijg een rood hoofd en trek krampachtig de zoom naar beneden.

Zoë glimlacht. 'Laat je gaan, Claire. Vanavond geen gepieker. Je ziet er goed uit.'

Ik geef me over aan de muziek. Het ene nummer gaat bijna ongemerkt over in het andere. Soms haalt Zoë wat te drinken, dan ik weer. Mijn hoofd voelt licht en warm aan. Mensen komen naast ons dansen, mensen naast ons gaan. Het is net alsof de wereld om Zoë en mij draait. Wij zijn het middelpunt, de rest doet er niet toe.

Er komt een jongen achter Zoë staan. Hij heeft zwart, gemillimeterd haar en een oorbel. De jongen slaat zijn armen om Zoë's nek. Ze kijkt schuin omhoog. Ik verwacht dat ze hem wegduwt of een klap in zijn gezicht geeft, maar ze glimlacht. Hij grijnst loom terug. Zoë begint met haar heupen te draaien. Zijn handen glijden naar beneden en strelen Zoë's blote buik. Ze sluit haar ogen en gaat nog uitdagender tegen hem aan dansen.

Ik sta er wat verloren bij. Waarom laat Zoë dit toe? Ik was toch met haar aan het dansen? Maar nu besta ik niet meer. Opeens voel ik een hand op mijn arm. Ik draai mijn hoofd met een ruk om. Naast me danst een jongen met een strakke spijkerbroek en een mouwloos T-shirt. Zijn blonde haar is met veel gel achterovergekamd. Waarschijnlijk traint hij elke dag in de sportschool, aan zijn joekels van armspieren te zien. Niet mijn type.

'Gregory,' roept hij boven de muziek uit. 'En dat is mijn vriend Kevin.' Hij knikt naar de jongen met wie Zoë nu innig is verstrengeld. Ik zucht diep en zeg: 'Claire.' Blijkbaar is dit voor Gregory het teken om met me te gaan dansen. Hij pakt me stevig beet en duwt mijn hoofd tegen zijn schouder. Zijn handen aaien mijn rug. Ik krijg het enorm benauwd en wurm me uit zijn omhelzing.

'Ik moet plassen. Ben zo terug,' roep ik. Zonder om te kijken loop ik naar de wc's.

De ruimte is koel en rustig. Geen muziek. Geen dansende lijven. Geen Gregory en Kevin. Ik kijk in de spiegel. Zwarte mascaraklontjes kleven aan mijn wimpers, mijn wangen zijn rood en vlekkerig en mijn haren hangen in slierten langs mijn gezicht. Ik zie eruit zoals ik me voel: aangeschoten. Als ik nog een Bacardi Cola drink, ben ik bang dat ik moet overgeven. Ik draai de kraan open en hou de binnenkant van mijn polsen onder het koude water.

'Wat doe jíj hier?' Het is Zoë. Ze is plotseling naast me opgedoken en kijkt me met samengeknepen ogen aan. 'Mijn handen wassen,' mompel ik.

'Dat bedoel ik niet, dat weet je best. Waarom vlucht je naar de wc's? Die arme vriend van Kevin wist niet wat hem overkwam.'

'Hij heet Gregory.' Ik draai de kraan dicht en droog mijn handen aan een grijs, papieren doekje.

Ze haalt haar schouders op. 'Gregory, whatever. Nou, vertel, waarom doe je zo idioot?'

'Ik had het warm.'

'Hm.' Zoë werpt me een peinzende blik toe. Waarschijnlijk gelooft ze me niet.

Ik gooi het doekje in de prullenbak.

'Luister,' zegt Zoë op een zakelijke toon. 'Kevin heeft gevraagd of we meegaan naar zijn appartement.'

'Hè, wat? Wij?' Ik staar haar verbaasd aan.

'Ja, jij, ik, Gregory en Kevin. Zo moeilijk is dat toch niet?'

'Wat heb je gezegd?'

'Dat we onze jassen pakken en meegaan.'

Ik voel mijn wangen prikken. Is Zoë gek geworden?

'Bekijk het maar. Ik ga echt niet met twee wildvreemde jongens naar huis. Misschien zijn het wel drugsdealers. Of loverboys. Of…' Ik probeer wanhopig nog wat anders te bedenken, maar er schiet me niks te binnen.

Zoë grijnst. 'Loverboys? Spannend.'

'Spannend?' Ik begin kwaad te worden. 'Het is onverantwoordelijk.'

'Kom op, Claire, je klinkt als je vader. Doe toch niet altijd zo saai. Ga eens uit je dak. Je bent zeventien, it's time to party.'

Zoë en ik kennen elkaar al vanaf de brugklas. Ze is altijd de stoerste van ons tweeën geweest. Maar sinds haar vader ervandoor is gegaan, en niks meer van zich laat horen, is Zoë echt losgelagen. Vooral op het gebied van jongens. Op sommige momenten volg ík haar zelfs niet meer. Dit is een van die momenten.

'Bekijk het maar,' zeg ik.

'Ik heb geen zin dat jij de avond verpest met je rothumeur,' snauwt ze.

'En ik heb geen zin dat ik door jou in de problemen kom,' snauw ik terug.

We zwijgen een paar seconden. Opeens glimlacht Zoë. 'Claire, lieverd, ik wil natuurlijk ook niet in de problemen komen. We gaan mee, maken wat lol en morgenochtend verdwijnen we voordat ze wakker worden. No big deal, toch?' Ze glimlacht nog een keer. 'Ga alsjeblieft mee, je bent mijn beste vriendin.'

Ik zucht. 'Ze willen vast met ons naar bed.'

Zoë's glimlach wordt nog breder. 'Ik hoop het. Ze zien er goed uit, studeren en zijn tweeëntwintig. Veel beter dan die jonge knulletjes zonder ervaring bij ons op school. En daarbij, je hoeft niks te doen waar je geen zin in hebt, toch?'

'En mijn vader dan? Wat als hij erachter komt? Hij vermoordt me, echt waar.'

'Je vader is met Bernadet in Maastricht. Hij komt er nooit achter. Ga met me mee, please, please, please.' Ze kijkt me smekend aan. 'Je leeft al een jaar als een non, dat is echt niet normaal.'

Ze heeft gelijk. Ik negeer al een jaar elke jongen die interesse in me heeft. Mark heeft me zo vreselijk diep gekwetst. Plotseling wil ik iets doen waarmee ik Mark kan terugpakken. Iets waarmee ik weer kan voelen dat ik leef. Iets wat mijn vader afkeurt. Iets doms, iets impulsiefs, iets fouts.

'Ik ga mee.'

Zoë klapt in haar handen. 'That's the spirit, girl!'

'Maar we gaan weg als ik dat wil.'

'Beloofd.'

Ze trekt haar topje wat lager en schudt haar lange haar los. 'Let's go. Kevin en Gregory vragen zich vast af waar we blijven.'

Hoofdstuk 11

Gregory rijdt. Zijn ene hand hangt losjes op het stuur, en zijn andere hand wrijft over mijn bovenbeen. Op de achterbank liggen Kevin en Zoë te zoenen. Het is een wonder dat Gregory mijn fiets in de rode Honda Civic heeft gekregen. Er steekt een wiel uit, de achterklep staat open, maar mijn fiets is mee. We stoppen voor een rood stoplicht. Gregory's hand kruipt omhoog over mijn been. Ik hou mijn adem in en weet niet wat ik moet doen. Gelukkig springt het licht op groen. Zijn hand verhuist naar het stuur en hij rijdt met slippende banden weg. Ik vraag me af of Gregory niet te veel heeft gedronken. Stel je voor dat we een ongeluk krijgen. En dat ik mijn vader moet uitleggen waarom Zoë en ik met twee dronken jongens meereden. Ik word helemaal zenuwachtig van de gedachte.

'Wie heeft er wat te roken?' vraagt Gregory.

'Ik,' zegt Zoë. Ze gaat rechtop zitten. 'Wat wil je? Een Marlboro light, of een joint?'

Ik kijk verbaasd over mijn schouder. Sinds wanneer heeft Zoë joints bij zich?

'Ik lust wel een blowtje,' zegt Gregory.

Zoë haalt een voorgerolde joint uit haar portemonnee. 'Echte Amsterdamse hasj. De beste kwaliteit die je kan kopen. Een kenner heeft me dit aangeraden.' Ze houdt een aansteker onder haar joint en inhaleert diep. Een weeïge graslucht verspreidt zich door de auto.

Kevin pakt de joint van Zoë aan. Hij ligt op zijn rug, met zijn ogen gesloten. 'Goed spul.' De rook kringelt in sliertjes tussen zijn lippen door. Hij neemt nog een trek. 'Echt goddelijk.'

'Goddelijk? That sounds like me,' zegt Zoë grijnzend. Ze trekt de joint uit zijn hand en geeft hem aan Gregory.

De askegel licht feloranje op als hij inhaleert. 'Dit is inderdaad goed spul. Wil jij ook?' Voorzichtig pak ik het gevaarte aan. Ik heb een paar keer eerder geblowd, en ik werd er altijd heel slaperig en sloom van. Maar ik wil ook niet weigeren. Ik neem een trekje en probeer niet te diep over mijn longen te ademen. De rook prikt in mijn keel. Snel geef ik de smeulende peuk aan Zoë.

De weg maakt een flauwe bocht naar rechts. Gregory draait veel te laat in, en we knallen met één wiel op de stoep.

'Oeps.' Zoë giechelt en zuigt hard aan de joint.

Gregory rukt aan het stuur en we gaan weer rechtdoor. 'Niks aan de hand,' grijnst hij.

We rijden langs het water, en door een tunnel. Ik heb geen idee waar we zijn. Gregory remt bij een tankstation, en rijdt een donker straatje in. De huizen zien er een beetje verwaarloosd uit. Hij parkeert de auto.

Zoë tuimelt lachend naar buiten. 'Waar zijn we? Dit lijkt wel een achterbuurt.'

Ik zie aan de blik in zijn ogen dat Kevin het geen leuke opmerking vindt. Maar hij antwoordt nonchalant: 'Dit

is Rotterdam-Zuid. Kan Assepoester daarmee leven?'
'Vooruit.' Zoë slaat haar armen om Kevins nek. 'Laat
dat kasteel van je maar eens zien.'

Ze lopen naar de overkant van de straat. Kevin neemt
nog een trek van de joint, en gooit hem dan in een
voortuin.

Ik krijg van Gregory mijn fiets terug en zet hem op slot
tegen een hek. Rotterdam-Zuid is een van de slechtste
buurten van de stad. Ik wil niet dat hij wordt gejat.

Kevin woont op de tweede verdieping. In de grote
woonkamer staat bijna niks: een zwarte, leren bank,
een tv, wat boeken in een kastje, en een tafel met twee
stoelen.

Gregory doet de grijze gordijnen dicht. 'Wie wil er wat
drinken? Een biertje? Wijn?'

Zoë en Kevin geven geen antwoord. Kevin ligt op de
bank en Zoë is op zijn schoot geklommen. Haar tong
flitst over zijn lippen. Kevins handen wrijven over haar
heupen.

Ik kijk een andere kant op. Wat doe ik hier? Ik ben moe.
Misselijk. En een beetje duizelig. Het liefst wil ik slapen. In mijn eigen bed. 'Ik heb genoeg gedronken,' antwoord ik.

Gregory pakt mijn hand. 'Kom, dan gaan we naar de
logeerkamer.'

Ik aarzel een moment. Nu kan ik nog terug. Maar
dan? Van Zoë hoef ik niks te verwachten. Kevin heeft
haar topje uitgetrokken. Ze kreunt en heeft haar ogen
gesloten.

'Wat is er?' vraagt Gregory. 'Je gaat toch niet zeggen
dat je niet meer wilt?'

Ik stel me voor dat ik naar huis fiets. Door de donkere

stad, helemaal alleen, terwijl ik de weg niet weet. Het lijkt een onmogelijke opgave.

'Nee, hoe kom je daarbij?' Ik tover een glimlach tevoorschijn. 'Waar is de logeerkamer?'

Hij glimlacht terug. 'Deze kant op.'

De logeerkamer is een piepklein hokje, met een eenpersoonsbed en een strijkplank. Er is bijna geen ruimte om te lopen.

Gregory kust me. Zijn tong is warm en nat, en likt langs mijn tong, tanden en lippen. Hij duwt zijn heupen dicht tegen me aan. Ik voel hoe opgewonden hij is. Zijn handen glijden over mijn jurkje en maken de rits open. In één beweging trekt hij het jurkje over mijn hoofd.

Hij bekijkt me secondenlang. Ik huiver en sla mijn armen over mijn borst.

'Trek je bh uit,' zegt hij.

Onhandig friemel ik aan de sluiting. Het bandje schiet los. Ik stap uit mijn onderbroek, voordat hij het kan vragen, en voel me vreselijk naakt. Moet ik hem nu uitkleden?

Gelukkig doet Gregory dat zelf. Ik ga op het bed zitten en kijk hoe hij zijn T-shirt, spijkerbroek en boxer op de grond laat vallen. Zonder kleren is hij nog gespierder. Zijn huid glimt een beetje, alsof hij zich met olie heeft ingesmeerd. Op zijn bovenarm zit een tribal teken getatoeëerd. Mijn hart bonst. Ik durf niet naar zijn kruis te kijken.

Hij duwt me achterover op het dekbed en begint me te zoenen. Zijn handen glijden langzaam naar beneden. Ik voel zijn vingers tussen mijn benen glippen.

'Wacht,' mompel ik.

Gregory duwt me nog steviger op het bed. Zijn benen

over mijn benen. Zijn bovenlichaam op mijn borst. Ik kan niet meer bewegen.

'Ontspan.' Zijn vingers draaien rondjes, steeds sneller en sneller.

Iemand kreunt. Ben ik dat?

Zijn lichaam helt naar links en zijn vingers stoppen. 'Even geduld,' hoor ik hem zeggen.

Hij pakt iets onder de matras vandaan. Een condoom, zie ik een paar tellen later. Blijkbaar slaapt hij hier wel vaker met een meisje. Hoeveel condooms zouden er onder dit bed liggen? Gregory scheurt het folie open en doet het condoom om.

Zonder iets te zeggen komt hij in me. Het doet een beetje pijn. Ik doe mijn ogen dicht. Alles begint te draaien en ik zie Marks gezicht voor me. Ik word misselijk. Snel doe ik mijn ogen weer open. De misselijkheid zakt. Ik staar naar de muur. Een kromme spijker zit in het behang. Iets verderop hangt een spinnenweb. Gregory's bewegingen worden ruwer. In gedachten tel ik de seconden. Bij vierendertig roept hij: 'O, yes, yes!' Gregory rolt van me af en gaat op zijn rug liggen. 'Dat was lekker.'

Ik weet niet of ik het lekker vond. Als vergelijkingsmateriaal heb ik alleen Mark. Ik heb het nog nooit met een jongen gedaan die ik amper ken. Opeens krijg ik het heel koud. Ik kruip onder het dekbed.

'Voel je je niet goed?' vraagt Gregory. 'Je gaat toch niet kotsen, hè?'

'Nee.' Ik trek mijn benen op en maak me heel klein. 'Ik ben gewoon moe.'

'Nou, welterusten dan maar.' Gregory knipt het licht uit en schuift naast me onder het dekbed.

Ik sluit mijn ogen en glijd in een droomloze slaap.

Een straal zonlicht valt op mijn gezicht. Ik knipper met mijn ogen en zie een raam met grijze gordijnen. Ze zijn niet goed gesloten. Waar ben ik in hemelsnaam? Ik schud met mijn hoofd. Het doet pijn. Dan zie ik hem liggen. Gregory. Hoe kon ik hem vergeten? Hij snurkt. Zijn mond hangt half open. En hij ruikt naar oud zweet. Ik zie nu pas de zwarte randen onder zijn nagels. Een golf gal komt omhoog. Ik slik een paar keer. De nare smaak verdwijnt niet.

Voorzichtig stap ik uit bed. De vloerbedekking kriebelt aan mijn voeten. Ik pak mijn kleren van de grond en kleed me zo geruisloos mogelijk aan. Ik verlang wanhopig naar een douche. Alles plakt en voelt vies aan. Maar ik wil niet het risico lopen dat Gregory wakker wordt. Wat zou ik tegen hem moeten zeggen? Sorry, maar gisteravond was een grote vergissing? Ik wou dat ik het nooit met je had gedaan? Niet echt een goede optie.

Op mijn tenen sluip ik naar de gang. In de woonkamer vind ik Zoë en Kevin. Ze zijn op de bank in slaap gevallen. Zoë ligt onder een jas. Haar blote benen en armen steken eronder uit. Kevin slaapt in zijn boxershort.

Zachtjes schud ik aan Zoë's arm. 'Wakker worden,' fluister ik.

Geen reactie.

Ik schud nog wat harder. 'Hé joh, doe je ogen eens open.'

Haar oogleden schieten omhoog. 'Huh, wat is er?' roept ze. 'Waar ben ik?'

'Sssst, niet zo hard, straks wordt ie wakker.' Ik gluur naar Kevin. Hij kreunt en draait zich om. Ik laat mijn stem nog wat zachter klinken. 'We zijn in het appartement van Kevin.'

'Kevin?' Ze staart me met een glazige blik aan.

Ik zucht. 'Ja, je weet wel, die jongen van de Hollywood Music Hall.'

'O ja.' Ze kreunt. 'Waar is Gregory?'

'Die slaapt nog. Kom, sta op. Ik wil hier weg.'

'Ben je gek? Ik ben onwijs moe. En ik heb een kater. We kunnen nu echt niet gaan.' Zoë doet haar ogen weer dicht en kruipt onder de jas. 'Maak me over een paar uurtjes maar wakker. Met eieren en spek. En chocoladebroodjes. Oké?'

'Over een paar uur is mijn vader thuis.' Ik trek de jas van Zoë af. Ze heeft alleen een onderbroek aan. 'Wil jij hem vertellen waar we vannacht hebben geslapen? Ik niet.'

'Shit, je vader. Die was ik even vergeten.' Ze gaat rechtop zitten. 'Jezus, mijn hoofd. Ik voel me niet goed. Misselijk.'

'Neem straks maar een aspirientje.' Ik zoek Zoë's kleren bij elkaar die kriskras door de kamer liggen. 'Waar is je bh?'

Ze haalt haar schouders op. 'Weet ik niet.'

'Wat hebben jullie gedaan?' mopper ik. 'Ah, hier is ie.' Ik trek een bh onder de bank vandaan.

Zoë staat op en rekt zich uit. Kevin maakt een snurkgeluidje. 'Bye, bye, loser,' giechelt ze.

'Stil nou. En schiet een beetje op.'

Ze steekt haar tong naar me uit. 'Ja, mam.'

Ik pak mijn jas van de kapstok, terwijl Zoë zich aankleedt.

'Heb je alles?' fluister ik. Ik moet er niet aan denken dat we terug moeten, omdat Zoë weer eens iets is vergeten.

'Telefoon, portemonnee, peuken, aansteker. Check, ik heb alles,' zegt ze.

We sluipen de trap af. Ik sluit de voordeur met een zacht klikje. Opgelucht adem ik de frisse buitenlucht in.

Zoë steekt een sigaret op. 'Kevin kon er niks van. Hij was echt waardeloos. Halverwege viel hij in slaap. Hoe was Gregory?'

'Ach.'

'Twee losers dus,' concludeert Zoë. Ze lijkt er niet mee te zitten. 'Volgende keer beter.'

Ik steek mijn fietssleutel in het slot.

'Hé.' Zoë tuurt naar het appartement van Kevin. 'Volgens mij is ie wakker geworden.'

Verschrikt kijk ik omhoog. Een zwart silhouet staat achter het raam op de tweede verdieping. Hij beweegt zich niet.

'O nee, wat erg.' Ik durf niet meer te kijken.

'Maak je niet druk.' Ze zwaait naar boven en gilt: 'Dááááág Kevin, ik zal je nooit vergeten, zo slecht was je in bed. En je vriend is ook een sukkel.'

'Niet doen,' sis ik.

Zoë springt achter op mijn bagagedrager. 'Wat kan er gebeuren? Die lui zien we echt nooit meer.'

Ik hoop dat ze gelijk heeft en fiets zo hard mogelijk weg.

Hoofdstuk 12

Babette

Het water is 42,5 graad volgens de badthermometer. 'Pas op, te warm,' staat er naast het kwik. Ik mik de thermometer in de wasbak. Wat een onzin. De temperatuur is in een sauna nog veel hoger. Dit bad overleef ik wel. Ik doe mijn kleren uit. De badkamer ruikt sterk naar lavendel. Ik heb een flinke scheut badolie in het water gedaan. Mijn moeder heeft de olie deze zomer uit Frankrijk meegenomen. Ze is er al die maanden heel zuinig op geweest. Ik hoop niet dat ze merkt dat ik een halve fles heb gebruikt.

Voorzichtig laat ik mijn linkervoet in het badwater zakken. Instinctief wil ik mijn been terugtrekken, maar ik geef niet toe aan deze neiging. Het warme water went langzaam. Ik zet mijn andere been in het bad. De schrikreactie is minder groot, de zenuwen in mijn huid beginnen de hoge temperatuur te accepteren. Ik ga zitten. Het water golft langs mijn rug en buik. Een moment hou ik mijn adem in. Dan laat ik me met een zucht achteroverzakken.

Aan de verwarming hangt een grote, zachte handdoek klaar. Op het krukje rechts van me ligt de Cosmo. En op de badrand staat een doos bonbons. Ik verheug me al dagen op deze avond. Normaal gesproken ben ik nooit langer dan vijf mi-

nuten alleen in de badkamer. Er is altijd wel iemand die naar
binnen wil. Maar vanavond is iedereen weg. Mijn broer is
naar judoles. Mijn zus heeft een verjaardag van een vrien-
din. En mijn ouders gaan naar een toneelvoorstelling. Ik
hoop dat ze allemaal heel lang wegblijven.

Mijn hand maakt rondjes in het water. Ik doe mijn ogen
dicht. Rust. Volledige rust. Opeens lijkt de onvoldoende die
ik vandaag voor Wiskunde kreeg minder erg. En het gezeur
van mijn ouders over mijn cijfers doet me even niks. Ik laat
mezelf langs de ronding van het bad naar beneden zakken.
Mijn lange haren waaieren uit in het water. Alleen mijn
ogen, neus en mond zijn nog droog. Mijn onderwaterwereld
is warm en stil. Het enige geluid komt van het kloppen van
mijn hart.

Ik weet niet hoe lang ik zo heb gelegen. Maar plotseling hoor
ik iets. Een gedempte knal. Het klinkt alsof er een deur hard
wordt dichtgeslagen. Ik glibber overeind en luister ingespan-
nen. Stilte. Was het misschien een deur bij de buren? Dan
hoor ik onze tussendeur piepen en voetstappen op de gang.
Er loopt iemand richting de badkamer! Mijn hart slaat op hol
en ik graai naar de handdoek. Ik glijd uit en stoot mijn knie
tegen de badkraan. De handdoek valt op de grond. De bad-
kamerdeur gaat open. Ik gil.

'Babette? Wat is er met jou aan de hand?' Mijn moeder
staart me verbaasd aan. 'Je ziet eruit alsof je een geest hebt
gezien.'

Het duurt een paar tellen voordat ik antwoord kan geven.
'Jezus, mam, ik dacht dat je een inbreker was.'

Ze lacht. 'Ik? Een inbreker? Hoe kom je erbij. Je kijkt te veel
enge films.'

Ik ga weer in het warme water liggen. Mijn handen trillen
nog een beetje. 'Door jou heb ik mijn knie heel hard gestoten.'

'Och schat, dat spijt me.' Ze glimlacht. 'Ik was de kaartjes voor de voorstelling vergeten. We waren al bijna bij Carré toen ik erachter kwam. Je vader vond het niet zo leuk dat we terug moesten.'

'Waar is papa?'

'Die wacht buiten in de taxi.' Ze haalt een borstel door haar haren. 'Wat ruik ik trouwens? Heb je mijn badolie gebruikt?'

'Eh, vind je dat erg?' Ik hoop niet dat ze naar het halflege flesje kijkt.

'Natuurlijk niet.' Ze buigt zich voorover en geeft me een zoen. 'We zijn rond een uurtje of één thuis.'

'Dat had je daarstraks al gezegd.'

'O ja. Red je het hier alleen?'

'Mam, ik ben geen baby meer. Vooruit, ga naar papa. Die vraagt zich vast af waar je blijft.'

'Oké. Tot morgen lieverd.'

'Veel plezier.'

'Jij ook in bad.' Ze zwaait en trekt de deur dicht.

Ik hoor haar voetstappen weglopen, de piepende tussendeur, en de voordeur. Dan is het weer stil. Ik zucht en laat wat extra warm water in het bad lopen. Hopelijk kan ik nu ongestoord genieten. Ik pak de Cosmo van het krukje. Afvallen door te eten. Cosmo's geheime dieettips lees ik op de voorkant. Misschien is dit wel een leuk onderwerp voor de schoolkrant. Alle meiden op school zijn altijd aan het lijnen. En ik moet volgende week nog een artikel inleveren. Ik sla het blad open en ga met mijn hoofd op de badrand liggen. Volgens het artikel gaat je stofwisseling sneller door bepaalde voedingsmiddelen. Ik wil net lezen wat ik allemaal moet eten, als het licht uitvalt.

Het duurt een paar seconden voordat ik begrijp dat de stoppen zijn doorgeslagen. We wonen in een oud grachtenpand.

De meterkast stamt volgens mij nog uit de middeleeuwen: de stoppen begeven het een paar keer per week. Toch weigert mijn vader een elektricien te laten komen. 'Te duur,' zegt hij dan. 'Anders kunnen we dit jaar niet op vakantie.' Dat is onzin, want pap is een vet betaalde advocaat, maar blijkbaar vindt hij de meterkast niet belangrijk genoeg. Dus verwisselen mijn broer, zus en ik regelmatig een stop. Maar nu heb ik erg weinig zin om naar de koude kelder te lopen.

Zuchtend hijs ik mezelf uit bad. Een streepje maanlicht valt door de lamellen, en is net voldoende om mijn handdoek te vinden. Ik knoop de zachte stof voor mijn borst en duw de badkamerdeur open. De gang is lang en donker. Op de tast loop ik naar het trapgat. Mijn haar hangt in natte slierten op mijn schouders, en ik ril van de kou. Ik pak de trapleuning stevig beet en schuifel tree voor tree naar beneden. Opgelucht voel ik het koude marmer van de gang onder mijn blote voeten.

Overdag weet ik de kelder blind te vinden. Maar in het donker is het een behoorlijk riskante onderneming. Overal liggen spullen. Ik stoot tegen de hockeystick van mijn zus, struikel over een rugzak, en glijd uit over een krant die op de grond ligt. Mopperend trek ik de kelderdeur open. De typische, muffe keldergeur komt me tegemoet. Ik voel op het plankje naast de deur. Leeg. Hoe kan dat nou? Heeft papa de zaklamp niet teruggelegd? Gisteravond was er tijdens het eten een stop doorgeslagen. Pap is toen naar de kelder gegaan.

Ik vloek binnensmonds. Dan maar zonder zaklamp. Het steile trappetje van de kelder heeft geen trapleuning. Ik hou me aan de muur vast en tel de treden. Het zijn er acht. Ik buk en loop onder het lage plafond van de kelder door. De meterkast zit links in de hoek. Een steentje prikt in mijn voet en er kriebelt iets langs mijn wang. Een spinnenweb? Gatver, ik wil hier helemaal niet zijn. Ik wil weer in mijn warme lavendel-bad liggen.

De deuren van de meterkast gaan krakend open. Nu wordt het lastig. Hoe vind ik de gesprongen zekering? In het pikkedonker kan ik onmogelijk zien welke stop een rood vderstertje heeft. Maar ik heb een idee. Mijn vingers glijden over de stoppen. Bij de vijfde stop heb ik beet. Hij is gloeiend heet. Dit moet de kapotte zekering zijn. Ik ben best een beetje trots op mezelf. Boven op de meterkast pak ik het doosje met nieuwe stoppen.

Ik verstijf als ik plotseling een vreemd geluid hoor. Een zacht gepiep, net alsof de kelderdeur open- en dichtgaat. Tocht het misschien? Ik laat mijn arm zakken. Nu hoor ik gekraak. Ik tel de kraakjes. Acht in totaal. En de keldertrap heeft acht treden! Is hier iemand? De haartjes in mijn nek gaan recht overeind staan. In mijn fantasie loopt er een seriemoordenaar door de kelder. Of een gek met een kettingzaag. Mama had gelijk: ik heb inderdaad te veel horrorfilms gekeken. Er moet een logische verklaring zijn voor het geluid.

Het is doodstil geworden. Of toch niet? In de stilte hoor ik iets. Een patroon. Het is er, en het is er ook weer niet. Het lijkt nog het meest op een ademhaling. Soms hoor ik het achter me, dan weer vlak naast me, en dan weer een paar seconden niet. Mijn hart bonst en mijn handen zijn klam. Ik voel een drang opkomen om weg te rennen. Maar ik durf niet door het donker, langs dat enge geluid. Met trillende vingers schroef ik de kapotte stop los. Het doosje met nieuwe stoppen valt uit mijn hand. Ik buk en graai in het wilde weg over de grond. Eindelijk vind ik er eentje. Ik ram de nieuwe stop in de schroefkop en draai als een bezetene met de klok mee en haal de schakelaar over.

Klik. Het kelderlicht floept aan en is zo fel dat ik even niks zie, behalve sterretjes. Ik knipper met mijn ogen. De contouren van de kelder tekenen zich langzaam af. Trap, voorraadkast, wijnrek, de friteuse, vazen en bloempotten. Er is hier niemand. Of het moet een psychopaat zijn die zich achter een paar flessen Spa Rood heeft verstopt. Ik hoor ook niks meer. Geen gekraak, geen zachte ademhaling. Waarschijnlijk heb ik me alles verbeeld. Toch ben ik nog niet helemaal gerustgesteld. In een paar sprongen ben ik bij de keldertrap. Ik ren omhoog. Bovenaan gekomen kijk ik over mijn schouder. Niemand natuurlijk. Ik doe de kelderdeur dicht en schuif de grendel ervoor. Het is misschien een beetje overdreven, maar op een vreemde manier stelt het me gerust.

Het badwater is heerlijk warm. Ik voel mijn spieren ontspannen. De herinnering aan mijn kelderavontuur spoelt langzaam van me af. Ik pak de Cosmo van de grond. De bladzijden zijn nat geworden. Maar het dieetartikel is nog leesbaar. Zorg dat je nooit een hongergevoel hebt, schrijft de journaliste. Dan ga je namelijk snacken. Eet liever... Ik wil de bladzijde omslaan. Maar de pagina's kleven aan elkaar. Mopperend peuter ik een hoekje los. Ik zal toch hopelijk ooit een keer lezen wat die geheime dieettips zijn. Op dat moment valt het licht opnieuw uit.
Niet weer, is de eerste gedachte die door mijn hoofd schiet. Niet weer een stop. Niet weer die koude, donkere kelder. 'Shit, shit, shit,' vloek ik. 'Bekijk het...'
De rest van mijn zin valt weg door een hand die op mijn mond en neus wordt gedrukt. Ik sper mijn ogen open. Er zit een zwarte schim op de badrand. Mijn hart springt bijna uit mijn borstkas.
'Slim hoor, om de kelderdeur op slot te doen. Maar ik was al in de gang,' zegt een mannenstem. 'Verspilde moeite dus.'

Mijn spieren verlammen van angst. Als een lappenpop drijf ik in het water. De hand drukt me zonder moeite dieper. Het water golft over mijn wangen. Ik kan amper nog ademhalen. 'We gaan een stukje zwemmen. Vind je dat fijn, Babette?'

Hij kent mijn naam! Hoe kan dat? Er wordt iets in me wakker, een soort oerkracht. Ik kronkel met mijn lichaam, maai met mijn armen, schop met mijn benen. Maar het is allemaal even zinloos. Ik lig muurvast onder zijn ijzeren greep. Hij duwt me met één hand kopje-onder. Water komt in mijn neus. Ik knijp mijn lippen dicht. Er mag niks in mijn mond komen, dan is het afgelopen.

'Je krijgt een prikje,' hoor ik hem zeggen. 'En dan ga je lekker slapen. Geef je er maar aan over.'

Zijn vrije hand zweeft als een donkere vlek boven het wateroppervlak. Ik zie een naald glinsteren in het maanlicht. Met alle kracht die ik in me heb zet ik me nog één keer af tegen de badrand. Tevergeefs. Mijn voeten glippen weg langs het gladde oppervlak.

'Verdomme,' vloekt hij. 'Is de zuiger soms kapot? Dat ding zit muurvast.' Zijn hand beweegt woest heen en weer boven mijn hoofd.

Mijn benen beginnen te schokken. Het lijkt wel alsof ze een eigen leven leiden, mijn benen. Hoe lang kan ik nog zonder lucht? Een halve minuut? Ik zeg een kinderliedje op in mijn hoofd. Berendje Botje ging uit varen met zijn bootje naar Zuidlaren. Het gezoem in mijn oren overstemt de woorden. Ik hou het niet langer. Alle vezels in mijn lichaam smeken om zuurstof. Mijn mond opent zich. Water stroomt naar binnen. In een laatste moment van helderheid besef ik opeens wie hij is. Ik heb hem vandaag nog gesproken.

Hoofdstuk 13

Zachte pianomuziek vult de huiskamer. Papa heeft een cd van Mozart opgezet. Mozarts klavierconcerten zijn opgebouwd volgens een vivaldiaans model: snel, langzaam, snel. Tenminste, zoiets heeft pap me net uitgelegd. Ik heb niet echt geluisterd. In de vensterbank branden kaarsen. En papa heeft op tafel een dienblad met toastjes kaas, zalm en haring neergezet. Ik snap niet voor wie hij zo zijn best doet. Voor mij hoeft het niet. En Bernadet is net vertrokken.

Gistermiddag kwamen ze terug van hun uitstapje naar Maastricht. Gelukkig had ik Zoë net naar de trein gebracht. Bernadet plofte op de bank en begon heel overdreven te vertellen over de 'fantastische culinaire avond' die ze hadden beleefd. Papa stond er een beetje dom bij te glimlachen. Toen haalde ze opeens een pakje uit haar tas. 'Voor jou,' zei ze. 'Een cadeautje uit Limburg.' Het was een wollen sjaal. Turkoois met donkergroene kwastjes en kralen. Helemaal mijn smaak. En waarschijnlijk ook heel duur. Een fractie van een seconde wilde ik hem houden. Maar toen zag ik Bernadets zelfvoldane blik.

'Ik vind hem niet mooi,' zei ik zo ongeïnteresseerd mogelijk.

Bernadets wangen werden rood en ik zag een spiertje bij haar oog trillen. 'Niet mooi? Volgens je vader was je op zoek naar een turkooizen sjaal.' Ze keek naar papa. Hij schudde bijna onmerkbaar zijn hoofd. 'Wat jij wilt.' Ze propte de sjaal in haar tas. 'Dan hou ik hem zelf wel. Ik ben dól op turkoois.'

Ik had gehoopt dat ze meteen naar huis zou gaan. Maar ze bleef. De hele middag. En avond. Tegen een uurtje of elf zei papa opeens doodleuk dat ze bleef slapen. Een paar tellen kon ik geen adem halen. Was pap gek geworden? Bernadet kon toch niet in het bed liggen waarin hij al die jaren met mama had geslapen? Het voelde als verraad naar mama. Ik wilde schreeuwen dat ze moest oprotten. En dat ze met haar vingers van papa moest afblijven. Maar ik heb ijzig kalm gezegd dat ik naar mijn kamer ging. Ik heb twee oordoppen ingedaan en mijn ogen stijf dichtgeknepen. De gedachte aan Bernadet en papa samen in bed bleef door mijn hoofd spoken.

Nu ben ik nog steeds boos op pap. Wat toastjes en een paar kaarsen kunnen het echt niet goedmaken. Blijkbaar zit hij er zelf ook mee, want hij schuifelt onrustig over de bank.

Hij schraapt zijn keel. 'Hu-hum.'

Ik kijk hem aan.

'Gezellig, vind je ook niet? Dit hebben we al heel lang niet meer gedaan,' zegt papa.

Gezellig zou niet mijn omschrijving zijn van deze zondagmiddag. Maar ik heb geen zin om tegen hem in te gaan. Ik knik. Er valt een stilte.

Papa blaast in zijn handen alsof hij het opeens vreselijk koud heeft. 'Claire, lieverd, het is zaterdag precies een jaar geleden dat mama is overleden.'

Mijn wangen prikken. Alsof ik dat niet weet. Het hele jaar draait om die datum. Vorig jaar begon 22 november als een nietszeggende dag. Het was grijs, en een beetje miezerig. Het was zo'n herfstdag waarvan er dertien in het dozijn bestaan. Normaal gesproken had ik deze dag nooit onthouden. Maar nu herinner ik me elk detail nog.

Ik had een toets Engels en was vroeg opgestaan om de woordjes in mijn hoofd te stampen. Bij het ontbijt vroeg papa of ik 's middags naar het ziekenhuis kwam. Mama was die week opgenomen omdat ze hoge koorts had gekregen van haar chemokuur. Dat gebeurde wel vaker, had de dokter uitgelegd, en we moesten ons absoluut geen zorgen maken. Toen ik naar school fietste, had ik ook niet kunnen vermoeden dat papa me een uur later alweer zou ophalen. Het ging plotseling heel slecht met mama. Er was een bloedprop in haar longen gekomen.

Papa huilde de hele weg naar het ziekenhuis met grote, geluidloze tranen. Ik kon alleen maar voor me uit staren. Mama lag bewegingloos in het ziekenhuisbed. Haar ademhaling ging gejaagd. Ze was buiten bewustzijn, vertelde de dienstdoende arts. En ze konden niks meer voor haar doen. Het speet hem verschrikkelijk. We mochten in alle rust afscheid van haar nemen. Papa ging naast het bed zitten en pakte haar hand. Ik stond als verlamd bij het voeteneinde. Papa gaf me een tissue. Blijkbaar was ik aan het huilen.

Ik herinner me dat ik heel lang zo heb gestaan. Totdat

papa zei: 'Ze is er niet meer, Claire. Mama is bij ons weggegaan.' Het was alsof iemand me wakker schudde. Opeens wist ik wat ik allemaal tegen haar had willen zeggen. Dat ik nog precies wist hoe ze me vroeger altijd troostte als ik een enge droom had. Dat ze de lekkerste appeltaarten bakte. Dat ik nooit zal vergeten hoe ze voor me klapte bij mijn afzwemmen. En dat er niemand liever, vrolijker en zorgzamer was dan zij, mijn mama. De woorden tuimelden door mijn hoofd. Maar het was te laat. Mijn moeder was dood. En het laatste wat ik tegen haar had gezegd, was: 'Ik zie je morgen.'

'Claire? Je bent wat stilletjes. Was je het soms vergeten? Dat geeft niet, hoor, het is maar een datum,' onderbreekt pap mijn gedachten.

Vergeten? In het afgelopen jaar is er geen minuut voorbijgegaan zonder dat ik aan 22 november heb gedacht.

'Mwah.' Ik haal mijn schouders op en doe alsof ik een artikel in de tv-gids lees.

Hij zucht. 'Ik zou graag iets met je willen doen. Misschien kunnen we samen naar haar graf in Amsterdam? En daarna wat eten?'

Ik doe mijn ogen dicht. Ik wil niet naar mama's graf. Ik vind het afschuwelijk om op die begraafplaats te zijn. Meer dood dan ze daar is, kan ze niet zijn.

Het blijft lang stil. Dan zegt hij: 'Claire? Wat is er?'

Ik doe mijn ogen open. 'Ik kan zaterdag niet. Zoë komt langs.' Het is niet waar. Maar ik kan niks anders bedenken.

Papa kijkt met gefronst voorhoofd naar me. 'Hè, Zoë is toch net geweest? Kan je haar niet afbellen?'

'Nee.' Ik staar naar de kop boven het artikel. *Angelina Jolie weer zwanger?*

'Oké, dan gaan we niet naar Amsterdam,' zegt pap zacht. 'We bedenken wel iets anders, samen met Zoë. Tenslotte kende Zoë mama ook goed.'

'Waarom spreek je niet wat leuks af met Bernadet?'

Pap staat op en loopt naar me toe. Hij gaat op zijn hurken zitten. 'Was deze opmerking echt nodig?'

'Jij hebt vannacht met haar geslapen. Ik niet.'

Hij kijkt met een bleek gezicht naar me op. 'Ik hoop dat je ooit inziet dat mijn gevoelens voor Bernadet niks met mijn liefde voor mama te maken hebben.'

Ik snuif. 'Dat is jouw mening.'

Papa gaat weer staan. 'Wat zou er gebeuren als je het verdriet eens toeliet, Claire?'

Ik zeg niets en blader druk door de tv-gids, alsof ik op zoek ben naar iets.

Hoofdstuk 14

Het duurt een eeuwigheid voordat pap me alleen laat. En al die tijd hebben we zwijgend tegenover elkaar gezeten. Ik heb de tv-gids zeker vijf keer doorgebladerd. Ik wilde per se niet naar mijn kamer vluchten, want dan zou papa denken dat hij gelijk had. De deur van de studeerkamer slaat dicht. Ik gris mijn mobieltje uit mijn broekzak. Mijn vingers vliegen over de toetsjes van mijn telefoon.

> Je moet zaterdag hier komen en blijven slapen!!! Het is 1 jr geleden van mama. Pap wil naar haar graf.
> Ik niet, help!

Ik selecteer Zoë's nummer en druk op *verzenden*. Mijn mobieltje piept binnen dertig seconden.

> Wil je keihard gaan zuipen?

Ik moet hardop lachen. Zo'n opmerking kan alleen Zoë maken.

```
Nee, wil het rustig aan doen.
Misschien een dvd'tje kijken of zo?
Waarschijnlijk blijft mijn vader ook
thuis. grrrr.
```

Zoë sms't terug:

```
Straks even bellen?
```

Een paar tellen later klinkt het liedje van *Sex and the City* uit mijn telefoon. Ik druk, zonder te kijken, op het groene knopje. 'Zoë, idioot,' zeg ik lachend. 'Dit is geen straks. Kon je niet wachten?'

'Eh, wachten waarop? Volgens mij mis ik wat.'

Ik herken zijn stem meteen. Het is Nick, de jongen van de Xbox-games die me een week geleden per ongeluk heeft gebeld. Ik word knalrood, maar gelukkig kan hij dat niet zien.

'O nee,' stamel ik. 'Ik dacht wéér dat je mijn vriendin was, net als de vorige keer. Wat stom, wat ontzettend stom.'

Hij grinnikt. 'Joh, dat geeft niet, daar kan jij toch niks aan doen. Stoor ik?'

'Eh, nee,' zeg ik snel.

'En die vriendin dan?'

'O, die bel ik straks wel. Het was niet belangrijk. Ik spreek haar zo vaak. We bellen zeker een paar keer per week, en al helemaal nu ik verhuisd ben, snap je.' Ik val stil. Ik ben aan het ratelen.

'Hé luister,' zegt Nick, 'ik wilde je nog even bedanken voor de tip. Die Thijmen was echt een held. Ik heb een paar spelletjes bij hem gekocht met vette korting. Je krijgt trouwens de groeten van hem.'

'Wat aardig.' Ik loop naar de deur van de huiskamer en doe hem zachtjes dicht. Hopelijk blijft mijn vader nog even achter zijn bureau zitten. 'Ik spreek Thijmen eigenlijk nooit meer.'

'Ja, zoiets zei hij ook. Hoe komt dat eigenlijk?'

Ik ga weer op de bank zitten en zucht diep. 'We zijn in de zomervakantie verhuisd. Van Amsterdam naar Rotterdam.'

'Je klinkt niet erg enthousiast.'

'Dat ben ik ook niet. Mijn vader dacht dat een verhuizing goed voor ons zou zijn, maar alles is alleen maar erger geworden.' Zeg ik dit echt? Zeg ik dit zomaar tegen een jongen die ik nauwelijks ken? Ik voel me een beetje opgelaten.

'Sorry, ik begrijp het niet. Wat is er erger geworden?'

Ik geef geen antwoord.

'Claire, ben je er nog? Zeg ik iets verkeerds?' Nick klinkt bezorgd.

'Nee, het is... Mijn... Mijn moeder is vorig jaar november overleden.' De woorden klinken erg luid, alsof ik door de telefoon schreeuw.

Het is even stil. 'Het spijt me. Ik bedoel, ik vind het heel erg voor je.'

'Dank je.'

'Maar waarom zijn jullie dan verhuisd? Had je pa niet beter een paar maanden kunnen wachten?'

'Hij kreeg een nieuwe baan bij Shell. We hadden niet veel keus, jammer genoeg.'

'Shit zeg, dus je hele leven staat op z'n kop.'

'Ja, daar komt het wel op neer.'

'Dat moet niet makkelijk zijn.'

'Nee.'

'Ben je heel eenzaam, Claire?'

Ik schrik van de vraag. Niemand heeft me dat ooit gevraagd. In al die maanden niet. Niet na de begrafenis van mama. Niet in die moeilijke tijd daarna. Niet toen we gingen verhuizen. Nooit.

'Ja.' In mijn keel zit een brok ter grootte van een golfbal. Ik slik krampachtig. 'Soms voelt het alsof mijn leven ook is gestopt. Of in ieder geval geen zin meer heeft. Het kost me zo veel moeite om de dagen door te komen. Ik ben gewoon vergeten hoe het is om blij te zijn.'

Aan de andere kant van de lijn hoor ik hem zijn adem inhouden. Ik kan mijn tong wel afbijten. Waarom ben ik zo eerlijk tegen hem?

Dan zegt hij zacht: 'Ik begrijp je.'

'Echt waar?'

'Ja.'

Het brok in mijn keel lost op.

'Kan je er met iemand over praten?' vraagt Nick.

'Nee, niet echt.'

'En je vader?'

'Die snapt er niks van. Hij vindt dat ik lang genoeg om mama heb gehuild.'

'Hm, fijne vader heb jij, zeg. Is hij niet meer verdrietig?'

'O, vast wel. Maar hij heeft ook een nieuwe vriendin.'

'Au, wat een rotstreek.'

Ik glimlach. Het voelt als een opluchting om er eindelijk over te praten. 'Ja. Hij heeft haar ontmoet bij Shell. Ze is zijn secretaresse. Zo afgezaagd, vind je ook niet?'

'Je vader is niet de eerste man die ervandoor gaat met zijn secretaresse.' Nick grinnikt. 'Hoe is ze?'

'Vreselijk, ze is net een pratende barbiepop met dure

mantelpakjes. En ze is nog maar tweeëndertig. Ik snap niet wat die trut met mijn vader doet.'

'Is ie soms stinkend rijk?'

'Nee, joh. Dat mens is gek.'

Hij lacht. Ik ook. Dit gesprek voelt goed, heel erg goed zelfs.

'O shit,' mompelt Nick. 'Ik ben de tijd helemaal vergeten. Over een kwartier begint mijn voetbaltraining. Sorry, maar ik moet weg, anders haal ik het nooit.'

'Natuurlijk.' Ik probeer niet teleurgesteld te klinken.

'Mag ik je nog eens bellen?' vraagt hij opeens.

Mijn hart maakt een sprong. 'Dat zou ik leuk vinden.'

'Fijn. Tot snel dan, hè.'

'Oké, doei.'

Ik hang met een grote glimlach op. We hebben zeventien minuten gebeld, zie ik op mijn schermpje. Van mij had het veel langer mogen duren.

Hoofdstuk 15

'Claire!' Spiegelburg komt naast me staan. 'Slechter kan niet. Dit was echt om te huilen.'

Hij gooit het beoordeelde werkstuk voor me op tafel. Op het voorblad staat heel groot een rode één. Ik knik en verwacht dat hij doorloopt naar de volgende leerling. Maar hij blijft staan en slaat zijn armen over elkaar. 'Zo moeilijk was dit onderwerp toch niet?' Zijn stem snerpt door het lokaal. Iedereen luistert mee. 'De meeste leerlingen hadden geen moeite met de rol van de vrouw in de Tweede Wereldoorlog. Maar wat doe jij? Je plakt zonder enige inspiratie wat stukjes aan elkaar van internet.'

Ik buig mijn hoofd om zijn boze blik te ontwijken.

Spiegelburg haalt diep adem. Ik zet me schrap voor de volgende uitbrander. 'Het lijkt me duidelijk dat je zo nooit je eindexamen haalt. En geloof me, ik ga echt geen uitzondering voor je maken omdat je een bijzondere thuissituatie hebt. Je zult gewoon je best moeten doen, net als iedereen.'

Mijn wangen worden knalrood. Een bijzondere thuissituatie? Bedoelt hij soms mijn moeder? Ik buig mijn hoofd nog dieper. Het is doodstil in de klas. Ik hoor Spiegelburg weglopen. Zijn schoenzolen kraken op het linoleum. Een paar meter verder stopt het geluid. 'Goed gedaan, Robbert,' zegt hij. 'Jij hebt gelukkig wel begrepen wat het belang was van vrouwen in de Twee-de Wereldoorlog.'

De rest van de geschiedenisles gaat langs me heen. Ik doe alsof ik aantekeningen maak, maar ik teken tien-tallen rondjes en vierkantjes in mijn schrift. De bel gaat. Pauze. Eindelijk. Ik prop mijn spullen in mijn tas en loop snel het klaslokaal uit. In de kantine haal ik een koffie verkeerd. Alle tafels zijn bezet. Ik heb geen zin om ergens aan te schuiven en ga naar buiten.

Het is koud en grijs. Onder het afdakje staat het groep-je met de populaire meiden te roken. Mandy en Eline uit mijn klas staan er ook bij. Op mijn oude school hoorde ik ook bij het populaire groepje. Maar die tijd lijkt onvoorstelbaar lang geleden. De enige klasgeno-ten die hier met me willen praten, zijn de studiebollen en nerds. Maar daar heb ik weer geen zin in. Dus breng ik elke pauze alleen door.

Ik probeer zo onopvallend mogelijk langs het groepje te lopen. Mandy kijkt in mijn richting en zegt wat tegen Eline. Ze smoezen met gebogen hoofden. Eline lacht heel hard. Hopelijk praten ze niet over mij. Ik krijg het helemaal warm van het idee en loop met gloeiende wangen verder.

'Hé, Claire.' Het is Mandy's stem.

Ik stop en krimp ineen.

'Heb je vrijdag nog leuke make-upspulletjes bij de Bij-enkorf gekocht?' Ze zegt het op een spottende toon.

Eline giechelt.

'Eh, nee,' zeg ik op mijn hoede. Ik wil doorlopen, maar Eline is me voor.

'Weet je,' zegt ze poeslief. 'Mandy en ik vroegen ons iets af.'

De moed zakt me in de schoenen. 'Wat dan?'

'We vroegen ons af…' Ze glimlacht, maar ik zie aan de blik in haar ogen dat er zo een gigantische rotopmerking gaat komen.

'We vroegen ons af of Zoë wel echt jouw vriendin is.'

Ze laat zo'n lange, ongemakkelijke stilte vallen dat ik wel iets moet antwoorden.

'Hoezo?' vraag ik met tegenzin.

'Nou, we dachten eigenlijk dat je geen vriendinnen had.'

Beng. Het voelt alsof ik een stomp in mijn maag heb gekregen. Ik hap naar adem.

Eline is nog niet klaar. Ze kijkt me vals aan. 'Dus onze theorie is dat je Zoë hebt ingehuurd om je beste vriendin te spelen.'

Mandy klapt dubbel van het lachen. 'A friend for rent. Wat een giller.'

De tranen schieten in mijn ogen. Ik slik krampachtig. 'Heel grappig,' weet ik er met moeite uit te persen. 'Ik kom niet meer bij, ha, ha.'

Eline en Mandy hangen hinnikend tegen elkaar aan.

Ik loop weg, een willekeurige kant op.

'Groetjes aan Zoë,' gilt Mandy. 'Kan zij niet bij ons op school komen? Dan ga jij lekker terug naar Amsterdam.'

Ik doe net of ik het niet hoor.

Het liefst was ik meteen naar huis gegaan. Maar ik heb nog drie lesuren. En ik durf de conciërge niet weer een smoes te vertellen. De afgelopen weken ben ik zo vaak naar de tandarts, dokter en fysiotherapeut geweest. Hij gelooft me nooit meer. Ik vlucht een wc in. Gelukkig is er niemand. Ik leun met mijn handen op de wasbak en haal diep adem. Wat zou Zoë nu zeggen? Laat je niet gek maken door die meiden, Claire? Ze zijn het niet waard? Ik bet mijn gloeiende wangen met een nat doekje. Het beeld van een lachende Mandy en Eline blijft door mijn hoofd spoken. Gelukkig heb ik vandaag geen lessen meer met hen. Ik verfrommel het doekje en mik het in de prullenbak. Op mijn horloge zie ik dat het 11.24 uur is. Shit, over één minuut begint mijn les. Nu moet ik ook nog rennen.

Ik ben net op tijd voor Engels. Roeterdink heeft de deurklink al in haar handen. Ze fronst. Ik glip naar binnen en schuif hijgend op mijn stoel. De deur gaat met een klap dicht.

'Nu iedereen er is,' Roeterdink kijkt in mijn richting, 'gaan we verder met het boek van Ernest Hemingway, *The Old Man and the Sea*.' Ze pakt het dunne boekje van haar lessenaar. 'Waar zijn we de vorige les gebleven? O ja, hier, bladzijde vierenvijftig.'

Ze schraapt haar keel en begint met voorlezen. Het boek gaat over een bejaarde Cubaanse visser die in gevecht raakt met een grote vis. Dit is de derde dag op zee. En hij heeft de vis nog steeds niet binnengehaald. Ik kan mijn aandacht niet bij het verhaal houden. Het is heel warm in het lokaal en de eentonige stem van Roeterdink zoemt in mijn oren. Mandy en Eline verdwijnen langzaam naar de achtergrond.

Mijn mobieltje trilt twee keer in de zak van mijn spijkerbroek. Een sms. Zo onopvallend mogelijk wurm ik het apparaatje uit mijn broekzak. Voorzichtig verstop ik de telefoon tussen de bladzijden van mijn schrift. Als Roeterdink mijn mobieltje ziet, dan kan ik het wel vergeten. Tijdens de lessen mag niet worden gebeld en gesms't. Ik gluur onder het papier naar het schermpje. Nick, lees ik. Dat had ik niet verwacht. Ik weet niet hoe snel ik het bericht moet openen.

```
Hi Claire, voetbaltraining was saai,
bellen met jou was veel leuker ;-)
Wat ben je aan het doen? N
```

Ik lees de sms nog een keer. En nog een keer, totdat ik de tekst uit mijn hoofd ken. Mijn vingers glijden tussen de bladzijden en ik typ blind een berichtje terug.

```
School, Engels, so boring…!!! Ik vond
bellen met jou ook veel leuker
:-) ) ) ) x, Claire
```

Ik druk op de grote, groene verzendknop. Mijn hand omklemt het mobieltje en ik wacht. Een halve minuut. Een minuut. Zou Nick de sms al hebben gelezen? Anderhalve minuut. Is hij soms een lang bericht aan het terugsturen? Twee minuten. Waarom heb ik nog niks ontvangen? Is zijn telefoon misschien leeg? Eindelijk, na drie minuten, trilt mijn mobieltje. Vliegensvlug lees ik de tekst.

```
Two of a kind, dus! Ik moet veel aan je
denken. Je bent een moedig meisje.
```

Je mag altijd op mijn schouder
uithuilen. N

Mijn hart mist een slag. Ik denk na, maak een berichtje, delete het weer. Na nog een poging ben ik eindelijk tevreden.

Dank voor het luisteren gisteren. Dat
was heel bijzonder. Xxx

Ik verstuur het bericht.
'Claire!' snerpt Roeterdinks stem. Ze snelt op haar hoge hakken naar me toe. Ik heb nog net tijd om mijn mobieltje in mijn tas te laten vallen. Ik trap het hele handeltje onder mijn tafel.
'Wat doe je daar?' vraagt ze.
Ik kijk omhoog en stotter: 'N-n-niks.'
'Laat zien.' Roeterdink wijst naar mijn schrift. Blijkbaar heeft ze me al een tijdje in de gaten gehouden.
Ik geef het schrift. Ze houdt de kaft tussen haar duim en wijsvinger en schudt als een bezetene. Er dwarrelt een pluisje naar beneden.
'Hm.' Ze snuift en gooit het schrift voor me neer.
Ik ben doodsbang dat ze mijn tas wil zien.
'Dan heb ik me zeker verbeeld dat er iets tussen de bladzijden van je schrift zat.'
Ik knik.
Ze kijkt me pinnig aan. 'Je hebt natuurlijk de hele tijd opgelet.'
Ik knik weer.
'Mooi. Vertel me dan maar eens om wat voor soort vis het in het boek gaat.'

Ik heb werkelijk geen idee. 'Een, eh, haai?' stamel ik.
'Nee, een marlijn,' snauwt ze. 'Zie je wel dat je met andere dingen bezig was? Als ik je nog een keer in dat schrift zie rommelen, dan vlieg je eruit. Begrepen?'
'Ja, mevrouw.'
Roeterdink loopt weg. Ik zucht. Wat een vreselijke rotdag.

Hoofdstuk 16

Om halfdrie fiets ik eindelijk van het schoolplein. Ik ben doodmoe en heb hoofdpijn. Kleine vlokjes sneeuw vallen op mijn wangen. Verbaasd veeg ik ze weg. Sneeuw in november? Is dat normaal? Vorig jaar regende het rond deze tijd. Ik moet opeens aan mijn moeders begrafenis denken. Het regende toen pijpenstelen. Bij het graf lagen diepe plassen. Iedereen bleef daarom op het grindpad staan, een paar meter verderop. Mama's kist stond heel eenzaam in een grote berg modder. Mijn keel knijpt dicht en mijn ogen beginnen te prikken. Ik wil niet huilen. Wanhopig probeer ik aan iets anders te denken: Zoë, mijn huiswerk, Amsterdam, Nick. Het gevoel ebt weg.
Ik huiver en kruip diep in de kraag van mijn jas. De weg buigt naar rechts en het schoolgebouw verdwijnt. Op de automatische piloot rij ik naar huis, langs de 's-Gravendijkwal, de Westzeedijk, en de Erasmusbrug. Het laatste stukje gaat langs de Maas. Nog vijf minuten en ik ben thuis. Ik kan de flat al in de verte zien. De lucht heeft dezelfde kleur donkergrijs als het water. Een groot vrachtschip vaart over de Maas. Een paar meeuwen zweven voorbij.

Het gaat harder sneeuwen. Ik kan nog maar een paar meter vooruit kijken. Het vrachtschip en onze flat verdwijnen in het sneeuwgordijn. Op de straat ligt een dun, wit laagje. Mijn voorwiel glibbert over de straatstenen. Ik kan het laatste stukje beter lopen, anders breek ik nog een been. Mopperend stap ik af. Met gebogen hoofd ploeter ik verder. Schimmen duiken op uit de sneeuwbui, en verdwijnen weer. De geluiden van de stad lijken ver weg. Alles is wit. En stil.

Een zwart silhouet doemt voor me op. Ik doe een stap opzij om de persoon te laten passeren.

'Claire? Ben jij dat?' zegt een jongensstem.

Ik kijk op. Een jongen in een leren jas met blond haar. Eerst herken ik hem niet. Hij is groter dan ik me herinner. En breder. Het is net alsof ik hem in mijn geheugen heb verfrommeld tot mini-afmetingen, zodat ik niet meer aan hem hoef te denken.

'Gregory,' zeg ik mat. 'Wat een verrassing.' Dit is de laatste persoon op aarde die ik nu zou willen tegenkomen. Zou hij de weerzin op mijn gezicht kunnen zien? Ik hoop het niet.

Hij staat als een haan voor me: met gespreide benen, gekruiste armen en een opgefokte blik in zijn ogen.

'Je weet mijn naam nog, knap hoor,' zegt hij spottend. 'Het is tenslotte al twee dagen geleden dat we met elkaar hebben geslapen.'

Ik negeer de laatste opmerking en probeer zo vriendelijk mogelijk te zeggen: 'Hé, luister, het spijt me, maar ik moet opschieten. Ik heb zo een afspraak.'

'Je afspraak wacht maar.' Gregory pakt mijn stuur beet. 'We moeten eerst even praten, vind je ook niet?'

Ik kijk om me heen, geschrokken. De Maaskade is verlaten. 'W-waarover?'

'Je bent nog dommer dan ik dacht,' zegt hij op een agressieve toon. 'Ik zal het je voor eens en altijd uitleggen. Het is heel onaardig om er 's ochtends zomaar vandoor te gaan. Wat was dat voor kutstreek? Je mag blij zijn dat ik je gewipt hebt. Meestal doe ik het niet met saaie mutsen zoals jij.'

Shit, dit gesprek gaat de verkeerde kant op.

'Nou, hoe zit het? Krijg ik nog antwoord op mijn vraag?' De knokkels van zijn hand zijn wit, zo hard knijpt hij in mijn stuur.

'Ik, eh... ik voelde me zaterdagochtend niet goed. Misselijk, te veel gedronken. Ik heb de hele dag gekotst,' verzin ik.

'Bullshit.' Hij geeft een ruk aan mijn fiets.

Een flits van angst schiet door me heen. 'Laat mijn fiets los,' piep ik.

'Flikker maar op. We zijn nog lang niet uitgepraat, stomme slet.'

Opeens stapt er een wat oudere man uit het sneeuwgordijn. Hij blijft staan.

'Laat mijn fiets los,' herhaal ik wat krachtiger.

'Problemen, meisje?' vraagt de man.

Het is een paar seconden stil. Dan zegt Gregory: 'Ik wilde net gaan.' Hij duwt de fiets in mijn handen. In mijn oor sist hij: 'Wij praten nog wel eens verder. Zo makkelijk kom je niet van me af.'

Met grote stappen beent hij weg. Binnen een paar seconden is hij door de sneeuw opgeslokt.

'Gaat het?' vraagt de man. 'Dat klonk niet zo gezellig.'

Ik haal diep adem en lach bibberig. 'We hadden ruzie. Maar het gaat wel weer.'

'Moet ik een stukje met je meelopen?'

Mijn ogen schieten heen en weer. Geen spoor van Gregory. 'Nee, dat hoeft niet, dank u wel. Ik ben bijna thuis.'

'Oké.' Hij heft zijn hand op. 'Tot ziens dan. En blijf voortaan uit zijn buurt, meisje. Het leek me een uiterst onprettig heerschap.' De man verdwijnt achter me in de sneeuw.

Ik ben weer alleen in de steeds witter wordende wereld. De verlatenheid voelt onheilspellend. Ik ren glijdend en glibberend naar onze flat. Voordat ik de fietskelder inga, kijk ik over mijn schouder. Ik verstijf. Gregory! Hij staat een paar meter verder, volkomen bewegingloos, naar me te kijken. Is hij me gevolgd? Ik ren de fietskelder in. Van de zenuwen stoot ik mijn scheen tegen de trapper. Ik vloek en ram mijn fiets op een willekeurige plek in de stalling. Mijn handen trillen en ik krijg met moeite mijn fietsslot vast. Ik kijk nog één keer naar buiten. Gregory staat er nog steeds.

In een paar stappen ben ik bij de lift. Godzijdank gaan de deuren meteen open. Ik druk paniekerig op het knopje van de elfde verdieping. *Ga dicht, ga dicht, ga dicht*, smeek ik. Eindelijk sluiten de deuren zich. De lift komt met een schok in beweging. Ik leun tegen de wand. Mijn hart racet. Ik adem diep in. Waarom heb ik in vredesnaam met deze enge macho geslapen?

Ik schuif de grendel voor de deur van ons appartement. Daarna doe ik de gordijnen van de woonkamer dicht. Ik durf niet te kijken of Gregory nog op de stoep staat. Als laatste maak ik een rondje door het huis. Ik check of alle kamers leeg zijn. Idioot natuurlijk, maar ik ben doodsbang dat Gregory zich ergens heeft verstopt. Na mijn rondje durf ik pas op de bank te gaan zitten. Ik pak mijn mobiel en bel Zoë.

Na twee keer neemt ze op. 'Claire, ben jij dat?'

'Ja. Ben je alleen?' fluister ik.

'Eh, ja. Waarom praat je zo zacht? Is er wat?'

'Ik ben Gregory net tegengekomen,' sis ik.

'Wie? Jeffrey? Ik versta er niks van.'

'Gregory,' zeg ik wat harder. 'Die jongen van de Hollywood Music Hall.'

'O, die nerd. I remember.' Ze zucht. 'Wat doe je trouwens op een maandagmiddag in die club? Ik ben gewoon thuis huiswerk aan het maken.'

'Ik kwam hem op straat tegen, sukkel,' snauw ik onvriendelijker dan ik wil.

'Nou, nou, jij hebt een goed humeur. Zal ik ophangen?'

'Sorry,' mompel ik. 'Maar ik kan wel janken. Die eikel heeft me bedreigd.'

'Bedreigd? Hoezo?'

'Omdat wij er zaterdagochtend stiekem vandoor zijn gegaan. Dat trok ie voor geen meter.'

'Hm, een opvliegend typetje dus.' Ze lacht.

'Het is niet grappig,' grauw ik. 'Ik was echt doodsbang. Ik dacht dat hij me wat wilde aandoen. Trouwens, hij is me gevolgd naar de flat. Nu weet hij waar ik woon.'

'Relax, Claire. Hij gaat je echt niet stalken.' Ik hoor geritsel aan Zoë's kant van de lijn. Een klik. En een diepe ademteug. Zoë heeft een sigaret opgestoken, begrijp ik. Ergens vind ik het irritant dat ze aan het roken is terwijl ik mijn hart uitstort.

'Heb jij misschien aan die Kevin verteld dat ik aan de Maas woon?' vraag ik opeens. 'Ik bedoel, het is wel heel toevallig dat ik Gregory op straat tegenkom. Hij woont tenslotte aan de andere kant van de stad.'

'Nee, hoe kom je daar nou bij?' Ik bespeur een lichte aarzeling in haar stem.

'Echt niet?'

'Echt niet.' Zoë klinkt nu heel vastberaden.

Ik zucht. 'Moet ik de politie bellen? Wat vind jij?'

'Nee joh, natuurlijk niet.'

'Straks is hij iets geks van plan.' Ik sta op en loop naar het raam. Voorzichtig gluur ik door een kier in de gordijnen. De mensen op straat lijken net kabouters vanaf de elfde verdieping. Gregory is nergens te zien. 'Wie weet wil hij wraak op me nemen, of zoiets. Dat lees je wel eens in de krant.'

'Hou op, Claire! Je maakt jezelf gek.' Ze klinkt een beetje geïrriteerd. 'Je hebt met hem geslapen. Hij voelt zich op zijn pik getrapt. Jullie hebben ruzie gehad. Einde verhaal. Joh, ik heb denk ik met elke ex wel ruziegemaakt. Meestal lullen ze maar wat.'

'Dat zeg jij.'

'Het is zo. Hidde heeft drie maanden voor ons huis staan wachten nadat ik het had uitgemaakt. Luuk ging door het lint en heeft me bijna een blauw oog geslagen. Samuel vertelt nog steeds aan zijn vrienden dat ik een dom wijf ben. Erik heeft…'

'Ja, ja, ja,' onderbreek ik haar opsomming van exen. 'Nu weet ik het wel. Jij hebt makkelijk praten. Gregory valt jou niet lastig. En het was niet eens mijn idee om met die jongens mee te gaan.'

'Wat is dat voor lullige opmerking?' bitst Zoë. 'Ik heb

je nergens toe gedwongen. Het was je eigen keus, hoor, mevrouwtje ik-ben-preuts-maar-niet-heus.'

'O!' Ik voel een steek van woede. 'Dat is pas een kut-opmerking. Weet je wat? Ik heb helemaal geen zin meer om er met jou over te praten.'

'Dan niet,' zegt Zoë onverschillig.

Mijn woede groeit. 'Jij denkt echt alleen maar aan jezelf, hè?'

'Rot toch op.'

'Nee, rot jíj maar lekker op.'

Boos druk ik op het uit-knopje van mijn mobiel. Het is meteen doodstil. Ik hoor de ijskast in de keuken zoemen. Een toeter klinkt buiten. Ik plof op de bank en trommel met mijn vingers op mijn bovenbeen. Een minuut gaat voorbij. Twee minuten. Mijn woede lost langzaam op. Misschien heb ik wat overdreven gereageerd. Zou Zoë erg boos zijn? Ik durf haar niet te bellen. Mijn telefoon piept. Ik gris het ding van tafel.

`Sorry. Luv U. xxx Zoë`

Ik haal opgelucht adem en sms terug:

`Ik ook sorry. Luv U2. Tot zaterdag xxx`

Hoofdstuk 17

Een helikopter vliegt vlak langs mijn slaapkamerraam. Hij maakt een rondje boven de Maas en duikt daarna onder de Erasmusbrug door, rakelings over het water. Ik staar hem na, totdat ik hem niet meer kan zien. Kon ik maar meevliegen. Ver weg van alles en iedereen. Ik heb vandaag zes lesuren op school doorgebracht. Maar ik kan me er geen één meer herinneren. De hele schooldag is als een dichte mist langs me getrokken. Ik zucht en bekijk mijn agenda voor morgen. Bij elk lesuur staat huiswerk gekrabbeld. Dit wordt uren zwoegen en ploeteren. En waarvoor? Er moet een wonder gebeuren als ik mijn eindexamen nog wil halen. Ik klap mijn agenda dicht en mik 'm in mijn tas.

Ik log in op mijn hotmailaccount. Er zijn drie nieuwe mailtjes. Eentje is een aanbieding van bol.com, het andere is een berichtje dat mijn inbox te vol is en het laatste mailtje is van... Mark! Ik geloof mijn ogen niet. Het is meer dan een jaar geleden dat we contact hebben gehad. De laatste keer was vorig jaar oktober toen hij het uitmaakte.

Mijn moeder had net gehoord dat de artsen haar leven

niet meer konden redden, enkel verlengen. Ze gaven haar nog hooguit zes maanden. Twee dagen later stond Mark op de stoep. Of we even konden praten. Ik zag aan de blik in zijn ogen dat het slecht nieuws was. Wezenloos heb ik hem aangehoord. De verliefdheid was over, hij gaf nog wel om me, maar het was beter om er een punt achter te zetten, dat begreep ik toch ook wel? Binnen tien minuten stond hij weer buiten. Ik ben huilend naar mijn slaapkamer gerend. Ik wist niet meer of de tranen voor mijn moeder of Mark waren. Mijn wangen waren kleddernat. Ik had gedacht dat Mark de liefde van mijn leven was. Ik had gedacht dat mijn moeder voor altijd bij me zou blijven. Maar niks van dat alles was waar.

Mijn hand trilt als ik het mailtje van Mark openklik.

Aan: claire_love123@hotmail.com
Van: Markguy@planet.nl
Onderwerp: hi!

Hey Claire,

Dat is lang geleden! Hoe gaat het? Hier gaat alles z'n gangetje. Nog even doorbikkelen en dan is mijn eindexamen in the pocket. Ik ga waarschijnlijk Economie studeren in Utrecht. Lekker zuipen bij een studentenvereniging!

Ja, ja, het zal wel. Ik lees snel over de regels.

Heftig, trouwens. Er was vandaag politie bij ons op school. Babette van Asperen is dit weekend verdwenen.

Je weet wel, dat blonde meisje uit 4 havo. Ze was alleen thuis. Haar ouders zijn er pas de volgende ochtend achter gekomen. Freaky, hè? De politie heeft een paar klasgenoten ondervraagd.

Ik spring een alinea verder. Babettes verdwijning kan me weinig schelen. Ik ken haar niet.

Trouwens, nog even iets anders... ik hoorde van Florian dat je een nieuwe vriend hebt! Hij heeft je met een kerel zien zoenen in de Jimmy Woo. Het zag er nogal innig uit, vond hij.

De Jimmy Woo met Zoë, anderhalve week geleden. Zoenen met Pieter is niet mijn leukste herinnering aan die avond. Maar mijn plan is dus wel in opzet geslaagd: Florian heeft het aan Mark verteld! Zou Mark nu spijt hebben? Of misschien een klein beetje jaloers zijn? Mijn ogen schieten naar de volgende zin.

Jee Claire, je weet niet hoe opgelucht ik ben. Je hebt weer een vriend!!! Nu hoef ik me niet meer zo lullig te voelen. Het was vorig jaar natuurlijk een rotmoment om het uit te maken. Maar ja, ik kon gewoon niet anders. Dat zul je nu ook wel begrijpen. De verliefdheid was over. En ik wilde je niet aan het lijntje houden. Btw, ik heb ook een nieuw chickie. Sacha uit 5 vwo. We zijn superverliefd. Hé, mocht je een keer in A'dam zijn, bel maar ff. Spreken we gezellig wat af om over vroeger te praten ;-)

Mazzel!
Mark

Ik staar naar het scherm, totdat de woorden wazig worden. *Opgelucht. Ik kon niet anders. Nieuw chickie Sacha. Superverliefd.* Ik sta op het punt in tranen uit te barsten. Maar ik wil niet weer huilen om Mark. Ik dwing mezelf aan al zijn slechte eigenschappen te denken. Het werkt. De tranen zakken weg. Mark is een egoïstische, onbetrouwbare klootzak. Waarom vergeet ik dat toch steeds? Ik selecteer de drie mailtjes in mijn inbox en druk op delete. Bol.com, mijn provider en Mark verdwijnen in de prullenmand. Het geeft me een goed gevoel, voor een paar seconden.

En nu? Rusteloos schuif ik over mijn stoel. Msn'en met Zoë? Geen optie, want ze is niet online. Hyves checken? Geen zin, want niemand heeft me een nieuwe krabbel gestuurd. Mark komt weer in mijn gedachten omhoog. Ik schud mijn hoofd, alsof ik een lastige vlieg wil kwijtraken. Ik zou iemand kunnen bellen. Maar wie dan?

Opeens weet ik het. Ik ga Nick bellen! Zijn naam komt zo spontaan op dat ik er niet langer over nadenk. In mijn mobieltje zoek ik Nicks nummer en ik druk op *bellen*. De telefoon gaat over. Na drie keer heeft Nick nog niet opgenomen. Ik begin te twijfelen. Is deze actie te impulsief? We hebben elkaar tenslotte nog maar twee keer gesproken en wat sms'jes gestuurd. *Toet, toet, toet.* Nog steeds geen Nick. Misschien wil hij me wel helemaal niet spreken. Mijn handen worden klam. Zet ik mezelf voor gek? Maar er is geen weg terug. Als ik ophang, ziet Nick mijn gemiste oproep op zijn telefoon.
'Hè, Claire, wat toevallig dat je belt. Ik dacht net aan je.'
Nicks stem doorbreekt mijn gepieker. Ik begin te glimlachen.

'Dat zal wel,' antwoord ik. 'Waarschijnlijk zeg je dat tegen elk meisje dat je opbelt.'

'Nee, nee, ik dacht écht aan je.' Nick grinnikt.

Ik vind het leuk om hem te horen lachen.

'Waarom dan?' vraag ik nieuwsgierig.

'Omdat ik dit weekend in Rotterdam ben. Ik dacht: misschien kunnen we zaterdagavond wat afspreken? Nou, vertel, wat vind je van het idee?'

Er gebeurt iets geks. Ik voel opeens vlinders in mijn buik. *O, kom op, Claire*, spreek ik mezelf in gedachten toe. *Je kent deze jongen amper*! Maar de zwerm vlinders blijft rondfladderen.

'Het hoeft niet,' zegt hij snel, mijn stilte verkeerd opvattend. 'Voel je niet verplicht, absoluut niet zelfs. Ik loop misschien wat hard van stapel. Maar ik dacht, hoopte...'

'Ik wil heel graag wat met je afspreken,' val ik hem in de rede. 'Maar Zoë, mijn beste vriendin uit Amsterdam, komt zaterdag langs.'

'O, dan wordt het inderdaad lastig om elkaar te zien.' Nick klinkt teleurgesteld. De vlinders buitelen nog een keer door mijn buik.

'Gaan jullie zaterdag wat leuks doen?' vraagt hij.

'Nou, eigenlijk niet. Het is zaterdag precies een jaar geleden dat mijn moeder is overleden. Zoë en ik gaan waarschijnlijk een dvd'tje kijken. En mijn vader zal ook wel thuis zijn, dus echt leuk wordt het niet.' Tot mijn verbazing komen de zinnen heel rustig uit mijn mond.

'Shit, sorry, dat wist ik niet van je moeder.'

Ik hoor aan zijn stem dat hij zich opgelaten voelt.

'Het geeft niet,' zeg ik. 'Jij kon onmogelijk weten dat ze 22 november is overleden.'

Het is even stil. Dan zegt hij: 'Wat moet het moeilijk voor je zijn.'

'Ja, dat is het ook.' Ik bijt op mijn lip. 'Straks is ze overal voor de tweede keer niet bij: kerst, Pasen, mijn verjaardag, de vakantie. Het is zo oneerlijk dat de wereld doordraait zonder haar. En elke dag die voorbijgaat, herinner ik me minder van haar. Stom, hè? Ik weet al niet meer hoe haar parfum rook. Of welke rimpeltjes er rond haar ogen zaten. Nu al! Terwijl het nog geen jaar geleden is.'

Ik heb dit soort dingen nog nooit aan iemand verteld. Maar het voelt zo vertrouwd met Nick.

'Ik begrijp het gevoel,' zegt hij.

'Meen je dat?'

'Ja. Het is net een puzzel die in omgekeerde volgorde wordt gelegd: steeds meer stukjes vallen weg, hoe hard je ook je best doet om alles op z'n plek te houden.'

'Ja, ja, precies!' Hij begrijpt me echt!

'Maar daar moet jij je niet schuldig over voelen.' Hij klinkt warm en begripvol.

'Maar dat doe ik soms wel.' Ik zucht diep. 'Ga ik me ooit weer normaal voelen?'

'Ja, geloof me. Het is vier jaar geleden dat mijn vader is overleden. Ik kan nu aan hem denken zonder dat ik heel verdrietig word. Maar dat heeft wel een jaartje of twee geduurd.'

Zijn vader dood? Ik weet even niks te antwoorden. We hebben het al die tijd alleen maar over mij gehad. Ik voel me opeens vreselijk opgelaten.

'Het spijt me...' stamel ik. 'W-wat is er gebeurd?'

'Hij is omgekomen bij een verkeersongeluk. Een auto heeft zijn fiets geschept. Hij was op weg naar mijn voetbalwedstrijd.'

'O nee, wat erg.'

'Ja.' Ik hoor hem zijn adem uitblazen. 'Ik heb me er heel lang schuldig over gevoeld.'

'Dat kan ik me voorstellen.'

Hij lacht, kort. 'Eigenlijk vertel ik het gedeelte van die voetbalwedstrijd nooit aan mensen. Het klinkt zo lullig. Maar bij jou voel ik me zo op mijn gemak, Claire.'

De vlinders razen nu in een achtbaan door mijn buik. 'Ik ook bij jou. Ik wou dat ik je dit weekend kon zien.'

'Ja.'

Er valt een stilte, maar geen onprettige. Ik luister naar zijn ademhaling. Het liefst was ik door de telefoon naar hem toe gekropen.

'Wat ga je zaterdag in Rotterdam doen?' vraag ik.

'Eh, wat, dit weekend?' Nick aarzelt alsof het hem moeite kost om te schakelen naar een ander onderwerp. 'O, ik moet werken. We gaan een huwelijk filmen in Hotel New York.'

'Werken?' Dit is het laatste antwoord dat ik had verwacht.

'Ja, werken.' Hij lacht. 'Ik ben vijfentwintig. Zo gek is dat toch niet?'

'Nee, nee, natuurlijk niet. Ik dacht alleen dat je nog op school zat, net zoals ik.'

Nick grinnikt. 'Die tijd ligt gelukkig ver achter me.'

In mijn hoofd verandert Nick razendsnel van een scholier in een volwassen twintiger met een baan. Het maakt hem nog aantrekkelijker. 'Wat voor werk doe je dan?'

'Ik heb een eigen filmproductiebedrijf, samen met een vriend. We maken van alles. Promotiefilmpjes voor bedrijven, huwelijksvideo's, noem maar op.'

'Wat onwijs leuk.'

'Ja. Ik was na de Filmacademie bang dat ik geen werk kon vinden. Maar dit loopt als tierelier. We komen handen te kort om alle klussen aan te nemen.'

'Hoe heet jullie bedrijf?'

'Nick & Bas Movie Productions.'

Ik krijg opeens een idee. 'Moeten jullie zaterdag de hele dag werken?'

'Nee, gelukkig niet. We filmen alleen de ceremonie en de receptie. Dat wordt al flink doorpezen.'

'Misschien kunnen we aan het eind van de middag iets afspreken? Als jij klaar bent, en voordat Zoë er is?' Ik hoop dat ik niet al te gretig klink.

'Oei, dat wordt lastig, ben ik bang. De receptie duurt tot zes uur. Daarna moeten we onze spullen opruimen. Ik ben niet voor zevenen klaar.'

'O, zeven uur, dan is Zoë er al.'

'Weet je wat?' zegt Nick. 'Waar woon je?'

Ik geef hem mijn adres, terwijl ik me afvraag wat hij van plan is.

'Dat is in de buurt van Hotel New York, toch?' vraagt Nick.

'Eh, ja.'

'Misschien kan ik zaterdag een halfuurtje spijbelen en even bij je langskomen.'

Ik fleur op. 'Dat zou leuk zijn.'

'En Claire,' zegt Nick. 'Als het zaterdag wat te heftig wordt met je moeder: je mag me altijd bellen. Dan zet ik de camera gewoon een paar minuten stil.'

Mijn keel wordt dik. 'Wat lief,' antwoord ik schor.

'Ik ben ook lief.' Hij lacht. 'En wie weet tot zaterdag, hè?'

'Ik hoop het.'

Nick sluit af. Ik luister nog een paar seconden naar de kiestoon, voordat ik de rode knop van mijn telefoon indruk. Mark is naar de verste uithoek van mijn gedachten verdwenen.

Hoofdstuk 18

Het is kwart over acht, donderdagochtend, en de hemel is donker, bijna zwart. Koplampen van auto's flitsen voorbij. Een harde, koude wind blaast in mijn gezicht. Er is voor vandaag weer sneeuw voorspeld. De sneeuw van maandag ligt in een grijze smurrie langs de kant van de weg. Ik stop voor een rood stoplicht. Uitlaatgassen drijven in wolkjes door de koude lucht. In de auto naast me zit een man nerveus te bellen. Ik probeer zijn lippen te lezen. Het lukt niet: hij had net zo goed Chinees kunnen praten. Het licht springt op groen. Ik ben bijna bij school. Nog twee straten en dan ben ik er. Auto's trekken op, passeren me. Andere fietsers ook. Ik kan niet langzamer fietsen dan ik nu doe, anders val ik om. Gister was weer een afschuwelijke dag op school. Mandy en Eline hebben een ongelooflijke rotopmerking in de kantine gemaakt. Ik stond in de rij voor koffie. Opeens hoorde ik de harde stem van Eline. Ik maakte me wat kleiner, in de hoop dat ze me niet zouden zien. Tevergeefs.

'Kijk eens wie we daar hebben,' snerpte Eline. 'Is dat Claire niet?'

Ik staarde naar de grond.

'Ach gut, ze doet net alsof ze ons niet hoort,' riep Mandy op een kinderachtige toon. 'Wat ga je kopen, Claire? Nieuwe vrienden?'

De hele rij moest lachen. Ik voelde me woedend, voor gek gezet en opgelaten. Maar ik kon geen zinnig antwoord bedenken. Ik vluchtte weg, zonder koffie.

Ik stuur naar rechts. Nog maar één straat. Het schoolgebouw doemt als een monster boven de daken uit. Nog vijf huizen, nog vier, nog drie… hier moet ik rechts afslaan. Ik fiets rechtdoor. Ik heb genoeg van deze rotschool en stomme leraren. Ik heb genoeg van mijn slechte cijfers. Ik heb genoeg van Mandy en Eline. Opeens heb ik weer vaart. Ik race over de weg, steeds harder en harder. Mijn ogen tranen van de wind en mijn hart bonst in mijn borstkas. Ik stuif door een rood licht en laat de trappers nog sneller ronddraaien. Auto's, winkels, voetgangers, flats doemen op en verdwijnen weer. Het is alsof ik in een film fiets die op dubbele snelheid wordt afgedraaid. Na een paar minuten gaan de spieren in mijn bovenbenen protesteren. Een steek schiet door mijn zij. Ik stop en kijk hijgend over mijn schouder. Het schoolgebouw is verdwenen.

Ik zie het bord als ik naar voren kijk. *Diergaarde Blijdorp*, met een pijl naar links. De allerlaatste keer dat ik in een dierentuin ben geweest, is jaren geleden. Ik zat nog op de lagere school. Papa en mama namen me mee naar Artis. Ik vond de vlindertuin geweldig. Mama was helemaal verrukt over het aquarium met de zeeleeuwen en haaien. Toen ik moe werd, mocht ik op mijn vaders schouders zitten. Mama hield zijn hand vast. Ik zie nog hoe ze naar ons omhoogkeek en glimlachte. Het was een leuke dag. Een gelukkige dag. Ik verlang opeens wanhopig naar zo'n dag.

Ik fiets naar links en zet mijn fiets op slot in een rek tegenover de dierentuin. Ik loop naar een van de kassa's. Het luikje is dicht en er hangt een bordje met *Gesloten, we gaan om 09.00 uur open*. Ik kijk op mijn horloge: twintig voor negen. Langzaam loop ik naar een bankje. De zitting is ijskoud. Een paar flintertjes sneeuw vallen op mijn jas. Ze blijven liggen en smelten niet. Bewegingloos staar ik naar de vlokjes die een voor een op het nylon van mijn winterjas dwarrelen. Na twintig minuten is mijn jas bedekt met een wit laagje.

Om twee minuten over negen gaan de lichten aan van de kassa die het dichtst bij de ingang zit. Ik sta op. Het laagje sneeuw breekt en valt uiteen.

De vrouw achter de kassa is druk bezig en merkt me niet op.

Ik schraap mijn keel. 'Een kaartje, alstublieft.'

Ze kijkt me verbaasd aan. 'Nou, nou, jij bent vroeg. Er is nog helemaal niemand. Wacht even, ik moet de computer aanzetten. Heb je een abonnement?' vraagt ze ondertussen.

Ik schud mijn hoofd. 'Nee.'

'Dan wordt het achttien euro, alsjeblieft.'

Uit mijn portemonnee haal ik een biljet van twintig euro. Het is mijn zakgeld van deze week. Ik moet slikken als de vrouw het blauwe briefje aanneemt en ik een kaartje met een munt van twee euro terugkrijg.

'Veel plezier,' zegt ze.

Ik loop door de poort. Er staat niemand om mijn kaartje te controleren. De dierentuin ligt leeg en verlaten voor me. Volgens de borden kan ik drie routes lopen:

de haaienroute, de olifantenroute en de gorillaroute. De keus is niet moeilijk: het wordt de haaienroute. Ik weet zeker dat mama die ook had gekozen. Ik volg de blauwe bordjes.

De route begint bij het schildpaddenverblijf. Een paar grote, groene schilden liggen tussen de planten. De pootjes en koppen zijn ingetrokken. Ik wacht een paar minuten. De schildpadden verroeren zich niet. Saaie beesten, denk ik, en ik loop door naar de ijsberenrots. Maar ook hier valt weinig te beleven. Er is geen ijsbeer te bekennen. Het is net alsof alle dieren er op dit vroege tijdstip geen zin in hebben.

Het begint harder te sneeuwen. Ik slenter met mijn handen in mijn zakken naar de ingang van het Oceanium. De schuifdeuren zoeven open. Ik stap naar binnen. De deuren glijden achter me dicht. Ik ben in een andere wereld. Het geluid van de stad, de gure kou en de sneeuw zijn verdwenen. Ik sta in een glazen tunnel die onder een immens groot aquarium loopt. Drie roggen zwemmen over mijn hoofd. Een haai schuurt met zijn buik tegen de koepel. Ik raak het koele glas aan. Een vis hapt naar mijn hand en zwemt weer verder. Mama had dit fantastisch gevonden. Mijn ogen beginnen te prikken. Ik slik krampachtig.

En dan zie ik hem. Weerspiegeld in het glas. Een jongen met een leren jas en kort, blond haar. Hij staat een paar meter achter me, aan de andere kant van de tunnel. Ik kan zijn gezicht niet zien. Een ongemakkelijk gevoel bekruipt me. Hij is net zo groot als Gregory. Hij heeft óók een leren jas. En blond haar. Ik loop een stukje verder. De jongen ook. Ik sta stil. Hij ook.

Paniekerig kijk ik om me heen. De tunnel is doodstil en

verlaten. Ik laat mijn hand in mijn jaszak glijden en pak mijn mobieltje. Met mijn wijsvinger toets ik 112 in. Op het moment dat ik de grote, groene knop van mijn telefoon wil indrukken, loopt de jongen langs me. Hij heeft geen aandacht voor mij, alleen voor een felgekleurde vis die langs het glas schiet. Ik zie zijn gezicht. Het is open en vriendelijk en heel anders dan dat van Gregory. De jongen verdwijnt met de vis om de bocht van de tunnel. Ik wis met een knalrood hoofd het alarmnummer.

Naast het Oceanium zit restaurant De Lepelaar. Ik heb mijn ontbijt overgeslagen en voel me opeens heel slap en duizelig. Ik tel het geld in mijn portemonnee. Drie euro en vijfendertig cent. Ik loop naar binnen. Bij het zelfbedieningsbuffet haal ik een portie poffertjes met boter en poedersuiker voor drie euro. Alle tafeltjes zijn leeg. Ik kies een plekje bij het raam. De poffertjes zijn warm, klef en mierzoet. Ik neem kleine hapjes. Er komen wat andere bezoekers binnen. Een ouder echtpaar. Twee vrouwen met buggy's en kinderen. De kinderen worden uit de wagens gehaald en rennen uitgelaten door het gangpad.

Ik pak mijn mobieltje. Op het scherm zie ik vier gemiste oproepen van mijn vader. Gelukkig stond het geluid van mijn telefoon uit. Ik kan wel raden waarover hij me heeft gebeld. Hij heeft natuurlijk van school gehoord dat ik er niet ben. Ik heb geen zin om hem terug te bellen. Boos wordt hij toch wel.

In het berichtenmenu open ik een nieuwe sms.

    3 x raden waar ik ben…

Ik verstuur de tekst naar Nick. Binnen een minuut krijg ik een berichtje terug.

    Eh… op school?

Grijnzend druk ik op de toetsjes van mijn telefoon.

    Echt niet. Ik heb net een haai
    gezien.

Mijn sms heeft het gewenste effect. Nick stuurt terug:

    ????

Ik lach hardop.

    Ik ben in Blijdorp ;-) Geen zin in
    school.

Razendsnel komt Nicks antwoord.

    O! ;-)

Een paar seconden later komt er nog een sms'je van hem binnen.

    Straks even bellen, miss shark? Nu
    spoedje op mn werk

    Oké! Werkze x

Het vooruitzicht dat Nick me straks gaat bellen, maakt me blij. Sinds ons gesprek van maandag blijf ik maar aan hem denken. Vindt hij me net zo leuk als ik hem? Zou hij knap zijn? Hoe kust hij? In gedachten heb ik al tientallen keren in zijn armen gelegen. Hij zoent me dan op mijn mond. Heel zacht.

Een huilende peuter haalt me uit mijn fantasie. Ik zucht en kijk op mijn horloge. Het is halfelf. Buiten blaast de wind dikke sneeuwvlokken langs het raam. Mijn mond plakt van de poedersuiker. Ik snak naar een glas cola light met ijsblokjes. Maar ik heb nog maar vijfendertig eurocent. Ik sta op en loop naar de kassa.

'Neem me niet kwalijk,' vraag ik aan de mevrouw die erachter zit. 'Zou ik een glas water mogen?'

De vrouw wijst naar de koeling met flesjes frisdrank en water. 'Zelf halen meisje, en daarna bij mij afrekenen. Het is hier zelfbediening.'

'Sorry, maar ik heb geen geld.'

Ze trekt haar wenkbrauwen op.

'Eh, zou ik een glas gewoon kraanwater mogen?' stamel ik.

Haar wenkbrauwen schieten nog verder omhoog.

'Alstublieft,' zeg ik.

Opeens glimlacht ze. 'Ach, vooruit, ik ben de kwaadste niet.'

De vrouw sloft naar achteren en komt terug met een glas water. 'En nou wegwezen, hè. Anders moet ik voor iedereen water halen.' Ze knikt met haar hoofd naar het bijna lege restaurant en geeft me een knipoog. Ik loop naar mijn tafeltje en drink het glas water langzaam op. Het sneeuwt nog steeds buiten. Ik draai het lege glas rond in mijn handen. Het is elf uur, zie ik op de grote klok die aan de wand hangt. Ik maak een suikerzakje open en eet de suiker met een natte vinger op. De wijzers van de klok zijn opgeschoven naar kwart over elf. Er komen vier nieuwe mensen binnen. Sneeuwvlokken kleven aan hun jassen, sjaals en mutsen. Ik kijk hoe ze zich ontdoen van hun dikke lagen winterkleding. Tien voor halftwaalf. Ik versnipper een bierviltje. Halftwaalf. Misschien moet ik eens gaan. Wat moet ik hier verder nog doen zonder geld? Maar het vooruitzicht van ons koude, verlaten appartement maakt me niet erg vrolijk.

Hoofdstuk 19

Britt

De harde stem van Zoë schalt over straat. 'We bellen nog om de taken voor volgende week te verdelen, oké?' Ze stapt op haar fiets. Els en Machteld staan een eindje verder op haar te wachten. 'Doei,' roept Zoë, en ze fietst naar haar vriendinnen. Ik kijk hun ruggen na. Ze dragen alle drie een winterjas volgens de laatste mode. Hun spijkerbroeken zijn zo strak dat ze bijna niet kunnen zitten. En ik heb ze nog nooit zonder make-up op school gezien. Deze meiden zijn zo leeg en oppervlakkig: alles draait alleen maar om de buitenkant.

Zoë, Els en Machteld slaan aan het eind van de straat naar rechts en verdwijnen uit het zicht. Ik zwaai nog één keer naar het huis achter me waar we de hele avond hebben gewerkt. Ik heb geen idee of Alexandra me ziet. Alexandra is nog wel te doen. Ze zal nooit mijn vriendin worden, maar ze is in ieder geval niet zo hysterisch en overdreven als bijvoorbeeld Zoë.

Ik wikkel mijn wollen sjaal om mijn nek en steek de straat over, richting de ingang van het Vondelpark. Riep Zoë nu echt: 'We bellen nog om de taken voor volgende week te verdelen'? Wat een tuthola. Ze bedoelde waarschijnlijk: jij gaat

alles maken, en ik doe lekker niks. Zo gaat het namelijk elke
week. Ik ben de enige die werk verricht voor ons studiepro-
ject Verzuiling in Nederland: toen en nu. Toen ik aan het
begin van dit schooljaar de groepsindeling zag, kon ik mijn
ogen niet geloven. Ik stond ingedeeld bij Alexandra, Els,
Machteld en Zoë. De leeghoofden van onze klas. Waarom
was ik niet bij mijn vriendinnen Sara en Isabelle geplaatst?
Ik heb erover gediscussieerd met onze leraar Geschiedenis,
maar hij was onvermurwbaar. Gelukkig is dit project na de
kerst afgelopen.

Bij de ingang van het Vondelpark hangt een geel bord:
Werkzaamheden. Vondelpark gefaseerd afgesloten van sep-
tember t/m medio maart. Ik vind het nog steeds belachelijk
dat alle uitgangen aan de noordwestkant van het park voor
een halfjaar zijn afgesloten. Ook de ingang die naar mijn
huis leidt is afgezet. Volgens de omleiding moet ik via de
Van Baerlestraat en de Overtoom naar mijn huis lopen, een
omweg van zeker twintig minuten. Denken die ambtenaren
bij de gemeente nu echt dat ik dat doe? Mooi niet. Ik heb een
paar weken geleden een gat in een van de hekken ontdekt,
waardoor ik in het afgesloten gedeelte van het park kan
lopen.

Het gele licht van de lantaarns maakt kringen op het asfalt
van het park. Het is druk om tien uur 's avonds. Fiets-
lampjes doemen overal in het donker op. De koude buiten-
lucht werkt verfrissend. Zoë, Machteld, Els en Alexandra
verdwijnen naar de achtergrond. Nog een paar maanden en
dan hoef ik ze nooit meer te zien. Ik ga hbo-v studeren in
Utrecht. Ik heb altijd in de verpleging willen werken. Ein-
delijk kan ik mijn droom gaan waarmaken. Het moet gek
lopen als ik met mijn cijferlijst zak. Ik sta een 7,6 gemid-
deld.

Ik haal mijn telefoon uit mijn jaszak en zet hem aan. Het schermpje licht blauw op. De netwerkstreepjes schieten omhoog. Ik wacht een paar tellen. Maar er komt geen melding van een gemiste oproep. Ergens had ik gehoopt dat Sander me had gebeld. Idioot, want we hebben elkaar vanmiddag uitgebreid gesproken, maar hij weet hoe vervelend ik die werkgroepjes vind. En hij is meestal zo attent. Ik moet glimlachen. Eigenlijk moet ik altijd glimlachen als ik aan Sander denk. Hij heeft gevoelens in me losgemaakt waarvan ik het bestaan niet kende. Sander begrijpt me als geen ander. Hij studeert Rechten in Utrecht, dus wie weet, volgend jaar, als ik daar ook studeer...

Ik kom bij het afgesloten deel van het park. IJzeren hekken versperren de doorgang. Op een bord staat: Omleiding. Fietsers en voetgangers volg C. Een pijl met een C wijst naar rechts. Ik loop naar links en kijk over mijn schouder. In de verte zie ik fietsers aankomen, maar er is niemand in de buurt. Ik trek aan het ijzeren vlechtwerk van het hek. Het laat los in de linkerhoek. Ik heb het gat een paar weken geleden bij toeval ontdekt toen er een hond doorheen sprong. Sindsdien gebruik ik het bijna elke dag.

Ik buk en glip door het gat. Aan deze kant van de hekken branden geen lantaarnpalen en het is aardedonker. Gelukkig ken ik de weg. Ik loop door de bomen naar een grindpad. Het is net alsof ik in mijn eigen privépark ben. Er is hier helemaal niemand. In de verte hoor ik een hond blaffen. Iemand fluit. En dan wordt het stil. Ik hou van deze rust. Het geeft me de ruimte in mijn hoofd om goed na te denken.

Mijn adem bevriest in kleine wolkjes. Het is koud vanavond. De sneeuw die vandaag is gevallen, ligt als een witte deken op het pad. Ik ben de eerste die hier voetstap-

pen achterlaat. Het is een gek idee dat mijn sporen hier waarschijnlijk blijven liggen totdat de sneeuw gaat smelten. Wie anders zou er over dit paadje moeten lopen? De werklui zijn alleen aan de grote doorgaande route bezig. Een takje knapt onder mijn laars en ik hoor een uil oehoe roepen.

Het pad komt bij een splitsing. Ik ga naar links. Nog hooguit vijf minuten en ik ben thuis. Het valt me eerst niet op. Maar opeens zie ik ze: voetafdrukken in de sneeuw. Ze vormen een spoor dat voor me uit kronkelt. Een teleurgesteld gevoel bekruipt me. Het was al die weken míjn route. Maar blijkbaar heeft iemand anders ook een doorgang in de hekken gevonden. Ik zet mijn laars naast een van de voetafdrukken. Mijn voet is bijna de helft kleiner. De sporen moeten van een man zijn.

Ik zucht en probeer het gevoel van rust en stilte weer in mijn hoofd terug te krijgen. Wat maakt het uit dat hier een man heeft gelopen? Hij is waarschijnlijk allang verdwenen. Ik vervolg mijn weg, mijn voeten zorgvuldig neerzettend naast de andere voetafdrukken. Het pad komt bij het houten bruggetje. Tot mijn opluchting zie ik de voetstappen naar links afbuigen. Ik ga rechtdoor over de brug. Eindelijk weer alleen.

Het pad loopt langs de vijver en de grote speelweide. In de zomer ziet het hier vaak zwart van de mensen. Nu bedekt een dikke laag sneeuw het speelveld. Opeens zie ik iets voorbijschieten. Een haas! Het beestje springt en buitelt door de sneeuw. Bij de bomenrand stopt het diertje. Het kijkt in mijn richting. Ik hou mijn adem in. Het is alsof de haas wil zeggen: bijzonder hè, dat jij en ik hier samen zijn. Dan springt hij weg tussen de bomen.

Met een grote glimlach ga ik verder. Ik passeer de omgevallen boom en het Picasso-beeldhouwwerk. Het laatste stuk van het paadje slingert door het dichte struikgewas. Plotseling ruik ik iets vreemds. Sigarettenrook? De geur is heel subtiel en komt van achteren. Ik draai me om en verwacht half dat ik iemand zie roken. Maar alles is donker en verlaten. Ik snuif nog een keer. De rooklucht is verdwenen. Ik haal mijn schouders op en draai me weer terug.

In een fractie van een seconde gebeurt het. Ik hoor iets door de lucht suizen en een scherpe pijn explodeert in mijn hoofd. Ik val op de harde, bevroren grond. Sneeuw dringt in mijn neusgaten en mond. Ik hoor mezelf kreunen. Het is een afschuwelijk geluid. Ben ik tegen een boom geknald? Ik wil opstaan. Maar gek genoeg weet ik niet meer waar mijn benen zijn gebleven. Het lijkt alsof ze zijn verdwenen.

Mijn armen. Mijn armen zijn er nog. Ik kan ze bewegen. Maar mijn vingers tintelen en branden op een vreemde manier. Ik draai mijn hoofd. Een golf gal komt omhoog. Ik stik er bijna in. Met mijn tong werk ik het bittere slijm uit mijn mond.

'Help,' roep ik. Mijn stem is zo zwak dat ik hem amper zelf hoor.

De sneeuw begint onder mijn hoofd te smelten. Het koude water kriebelt. Ik probeer nog een keer te gaan staan. Het lukt niet. Er is echt iets mis met mijn benen, iets heel erg mis.

Mijn oor dat niet in de sneeuw ligt, hoort een geluid. Ik luister. Het is gekraak en het wordt steeds harder. Opeens zie ik ze verschijnen, twee schoenen. Een paar meter verderop. Godzijdank, een wandelaar, denk ik.

'Help,' zeg ik nogmaals.

De schoenen komen dichterbij. Het zijn oude, versleten legerkistjes. De schoenpunten stoppen vlak naast mijn neus.
'Ik kan niet bewegen, mijn benen,' mompel ik.

Voor mijn ogen zakken nu ook twee knieën. De wandelaar
hurkt.

'Kunt u een ziekenwagen bellen? Mijn rug, het is niet
goed.' Ik hijg van de pijn.

Een smeulende sigarettenpeuk valt naast de schoenen in de
sneeuw. Een vleugje sigarettenrook dringt mijn neusgaten
binnen.

'Alstublieft, kunt u het alarmnummer bellen? Nu?'

Geen beweging, ik staar naar een standbeeld. Waarom doet
deze man niks? Zou hij... Plotseling snap ik het. Hij doet
niks omdat hij me daarnet heeft neergeslagen. Ik hou mijn
adem in, alsof ik daardoor onzichtbaar kan worden. Maar ik
word niet onzichtbaar. Ik blijf als een weerloos stuk vlees
voor de voeten van deze man liggen.

Een hand wordt neergezet op de rechterknie. Onder de nagels zitten zwarte randen. Zijn andere hand komt erbij. Hij
houdt iets vast. Een injectiespuit.

'Nee, nee, nee, alstublieft,' smeek ik. 'Niet doen.'

De hand drukt de zuiger een stukje in. Een straaltje vloei-
stof spuit door de opening van de naald.

Ik doe mijn ogen dicht in een wanhopige poging alles
buiten te sluiten. Ik wil niet meemaken wat er gaat gebeuren.

Een scherpe pijn trekt door mijn linkerbovenarm. Daarna
trekt er een warme gloed door mijn aderen. Hij heeft wat in
mijn lichaam gespoten.

'Slaap lekker, Britt,' zegt zijn stem boven me.

Ik schrik. Zijn stem is anders. Zwaarder. Maar toch herken ik hem. Ik moet huilen. Ik voel een traan over mijn

verdoofde wang glijden. Nog meer woorden van hem. Maar ze klinken steeds logger en verder weg, totdat ik niks meer hoor.

Hoofdstuk 20

De hele weg van Blijdorp naar huis heb ik wind tegen.
Met gebogen hoofd ploeter ik door de sneeuw. Ik tel
het aantal keer dat ik moet trappen. Als ik bij onze flat
stop, ben ik bij driehonderdenzevenendertig. Ik loop
hijgend de fietskelder in en zet mijn fiets op slot. De lift
bevindt zich op -1 en ik kan meteen instappen. Ik druk
op het knopje van de elfde verdieping. Op de vloer van
de lift liggen plasjes water. In de spiegel inspecteer ik
mijn haar: het hangt in natte slierten langs mijn gezicht.
Mijn wangen zijn knalrood van de kou. Ik strijk met
mijn handen door mijn haar. Het gaat nog rommeliger
zitten.
De lift zet zich in beweging, om een verdieping hoger
weer te stoppen. De deuren gaan open. Een man stapt
in. We groeten elkaar. Door de open liftdeuren zie ik de
portier zitten achter zijn balie. Hij kijkt verveeld. Het
lijkt me ook een rotbaan. De hele dag naar alle klachten
van de flatbewoners luisteren. Het zijn meestal studen-
ten die als bijbaantje achter de balie zitten. De liftdeuren gaan dicht. De man drukt op het knopje van de der-
tiende verdieping. Ik heb hem nog nooit gezien, terwijl

hij toch een opvallend kaal hoofd heeft. Vreemd om met zo veel onbekende mensen in hetzelfde gebouw te wonen.

Bij de elfde verdieping stap ik uit. De man met het kale hoofd geeft me een knikje en verdwijnt met de lift omhoog. Ik loop naar ons appartement en open de voordeur. Met mijn hand zoek ik de lichtschakelaar, om er dan achter te komen dat het licht in de gang al brandt. Ik blijf er even peinzend naar staren. Waarschijnlijk is mijn vader vanochtend vergeten het licht uit te doen. Ik haal mijn schouders op en vervolg gedachteloos mijn weg naar de huiskamer. Ik zwaai de deur open.

Het beeld klopt in de verste verte niet met wat ik had verwacht te zien. Ik knipper met mijn ogen. Alles blijft hetzelfde. Mijn vader zit op de bank, met een sombere uitdrukking op zijn gezicht. Naast hem zit een wildvreemde man in een regenjas die nog somberder kijkt. Ik deins achteruit.

Papa springt op van de bank. 'Verdorie, Claire, waarom nam je vanochtend je telefoon niet op? Ik was vreselijk ongerust. Weet je hoe vaak ik je heb gebeld? En ik kreeg steeds die stomme voicemail, om gek van te worden.'

Ik doe nog een paar stappen naar achteren, totdat ik met mijn rug tegen de muur sta.

Mijn vader balt zijn vuisten. 'Heb je enig idee wat er had kunnen gebeuren? Nou?'

De man op de bank staat op. 'Rustig,' bromt hij en hij legt een hand op mijn vaders arm. 'Zo komen we nergens.' Ik probeer nog een paar stappen naar achteren te doen, maar de muur is hard en onverzettelijk.

Papa schraapt zijn keel. 'Sorry. Dit is Claire, mijn dochter.'
'Hallo, Claire.' De man loopt naar me toe. Hij is groot,
zeker twee koppen groter dan papa. Zijn wangen zijn
rood en hij heeft een snor met gekrulde punten. Hij
geeft me een hand. 'Ik ben Johan Willemsen, hoofd re-
cherche Amsterdam-Amstelland.'
Politie! Ik ben met stomheid geslagen. Sinds wanneer
schakelt de school de politie in bij spijbelen?
'H-het spijt me...' stotter ik. 'Ik zal het nooit meer
doen, echt waar. Maar ik voelde me vanmorgen niet zo
lekker. Daarom was ik niet op school.'
'School?' Hij trekt zijn borstelige wenkbrauwen op.
'Denk je dat ik hier ben omdat je vanochtend hebt ge-
spijbeld?'
Ik weet niks te antwoorden.
'Wees niet bang, je school interesseert me niet. En het
spijbelen ook niet. Kom, we gaan zitten.'
Hij pakt mijn arm en leidt me naar de bank. Ik doe wat
hij wil, omdat ik niet weet wat ik anders moet doen. Ik
word in het midden van de bank neergezet. Mijn vader
gaat links zitten en de politieman rechts. Ik kan geen
kant meer op.
'Claire, ik heb geen leuke mededeling voor je.' Willemsen plukt aan de punten zijn snor.
'H-hoe bedoelt u?' Ik vouw mijn handen samen en leg
ze tegen mijn buik. Ik voel mijn hart kloppen onder
mijn kleren.
De politieman gaat verzitten. 'Krijg je de laatste tijd
veel vreemde telefoontjes?'
Ik had alles verwacht, behalve dit. Stomverbaasd staar
ik hem aan. 'Eh, nee, hoezo?'
Hij bladert in zijn notitieblok. 'Waar staat het? Ah, hier,

kijk 'ns aan. Volgens jouw provider ben je zondag 9 november voor het eerst gebeld door het nummer 06-5657766. Een week later heb je nog een keer met deze persoon gesproken. Maandag 17 november hebben jullie elkaar wat sms'jes gestuurd. Gistermiddag heb jij het nummer zelf gebeld. En vanochtend zijn er nog berichtjes door jullie allebei verstuurd.'

Mijn hartslag versnelt onder mijn handen. En ik voel mijn maag samentrekken. Waarom weet hij dit allemaal?

'Vergist u zich niet?' Papa kijkt de politieman hoopvol aan. 'Mijn dochter lijkt het telefoonnummer niet te kennen. Misschien heeft een ander meisje…'

'Volgens mij komt het nummer uw dochter wél bekend voor,' valt Willemsen hem in de rede. 'Of heb ik het mis, Claire? Zeg jij het maar.'

Twee paar ogen staren me aan.

Ik krijg het warm. Ik ken het nummer. Ik ken het zelfs uit mijn hoofd. Ik zou het nummer blind kunnen bellen. Mijn vingers weten precies op welke plek de toetsjes zitten.

'O, dat is het mobiele nummer van Nick,' zeg ik zo achteloos mogelijk, en ik hoop dat ik niet bloos.

Mijn vader blaast zijn adem uit en lijkt ineen te schrompelen.

Willemsen gaat op het randje van de bank zitten. 'Nick? Is dat zijn naam? Dat wisten we nog niet. Vertel eens wat meer over hem, alsjeblieft.'

'Hij is gewoon een jongen die ik wel eens spreek,' zeg ik op mijn hoede. 'Niks bijzonders.' Opeens ben ik bang dat ik Nick met mijn antwoorden in de problemen heb gebracht.

'Hoe heb je hem leren kennen?' Willemsens pen zweeft boven het notitieblok.

Ik doe alsof ik heel lang nadenk. 'Dat weet ik niet meer,' zeg ik uiteindelijk.

Zijn wenkbrauwen zakken omlaag. 'Hm, echt?'

'Echt.'

Hij zucht. 'Vertel dan maar waar jullie telefoongesprekken over gaan.'

'Eh, over van alles en nog wat, eigenlijk.'

'Noem eens een voorbeeld.'

'Nou, we hebben het over... dingen.'

Willemsens wenkbrauwen zakken nog verder omlaag en hangen nu half over zijn ogen. 'Dingen?'

'Ja, dingen. School en zo.'

'Dit schiet niet op,' bast Willemsen. Hij richt zich tot mijn vader. 'Misschien kunt u er wat van zeggen?'

'Claire, werk alsjeblieft mee. Dit is belangrijk.' Mijn vaders stem is nauwelijks hoorbaar.

Willemsen knikt driftig. 'Van levensbelang zelfs. Zal ik je eens wat vertellen, Claire?'

Ik geef geen antwoord.

'Zegt de naam Amber Schmidt je wat?'

'Eh, nee.' Ik ben opgelucht en verbaasd dat hij het niet meer over Nick heeft.

'Amber Schmidt is een meisje van jouw leeftijd. Dertien dagen geleden is ze zomaar verdwenen. Ze was die avond alleen thuis.'

Willemsen gaat zuchtend verzitten alsof dit verhaal hem zwaar valt. 'De politie daar dacht eerst dat ze was weggelopen. Dat gebeurt wel vaker bij tieners.'

Er valt een stilte. Ik weet niet wat ik moet zeggen, dus knik ik maar.

'Precies,' mompelt hij. 'Maar een paar dagen geleden zijn er bloedsporen gevonden op de garagemuur van Ambers ouders. Ze zaten onder een raampje. Het bloed is onmiddellijk onderzocht. En raad eens van wie het bloed was?'

'Van Amber?' Mijn mond voelt een beetje droog aan.

'Heel goed. Blijkbaar was Amber die avond ergens doodsbang voor en wilde ze vluchten door het raampje. Het kon haar niet schelen dat ze haar vingers openkrabde, zo bang was ze.'

Mijn vader kreunt. 'Moet dit echt?'

'Ja.' Willemsen klinkt onverbiddelijk. Hij wendt zich weer tot mij. 'Je snapt dat dit een heel ander licht op Ambers zaak werpt. Amber is niet weggelopen. Maar wat er wel is gebeurd, weten we niet. We vrezen eigenlijk het ergste...'

'Jeetje.' Al het speeksel in mijn mond is nu verdwenen.

'Jij vraagt je natuurlijk af waarom ik dit allemaal vertel. Je hebt nog nooit van Amber gehoord, je vindt het vast heel erg voor haar, maar dan houdt het op, nietwaar?'

'Eh, ja, wel een beetje.'

'Spijtig genoeg is er een link tussen Amber en jou.'

'O.' Ik ga rechtop zitten.

'Jij bent namelijk een paar keer door Ambers mobiele nummer gebeld.'

Beduusd kijk ik hem aan. 'Hè? Amber is toch verdwenen? Hoe kan ze mij dan bellen?'

Willemsen wacht een paar seconden en zegt dan somber: 'Amber heeft jou ook niet zelf gebeld. Iemand anders heeft jou met háár telefoon gebeld.'

Ik knijp mijn handen zo hard samen dat ik mijn vingers voel tintelen. 'W-wie dan?'

'Jouw vriend Nick. Hij belt jou steeds met haar telefoon.'

Zijn woorden boren zich in mijn oren en maken me duizelig. 'Dat kan niet,' zeg ik schor. 'Jullie maken een vergissing.'

'Nee, Claire, het spijt me.'

'Maar, maar… Misschien heeft hij Ambers mobieltje ergens op straat gevonden? Dit hoeft toch niks te betekenen?' zeg ik met een stem die niet de mijne is.

'Het verhaal is niet klaar. Met Ambers telefoon zijn nog drie andere meisjes gebeld, nadat Amber is verdwenen. En weet je wat er met die meisjes is gebeurd?'

Ik wil het antwoord niet weten en sluit mijn ogen.

'Die meisjes zijn ook verdwenen. Boem, foetsie, zomaar weg. Niemand heeft ze meer gezien. Het patroon is steeds hetzelfde. Een meisje wordt door Ambers nummer gebeld, er vinden meerdere telefoongesprekken plaats, en daarna verdwijnt de dame. We vermoeden dat Nick hiervoor verantwoordelijk is. Van alle meisjes die hij heeft gebeld, ben jij de enige die er nog is.'

'Nu is het genoeg,' hoor ik mijn vader zeggen. 'Claire snapt het.'

Ik open mijn ogen. Papa staat voor me. Zijn handen trillen en hij is lijkwit weggetrokken. 'Wat is het plan?'

Willemsen gaat naast mijn vader staan. 'We gaan naar het districtsbureau in Amstelveen. Daar loopt het onderzoek. Ik rij jullie. Claire mag niet meer zonder politiebescherming naar buiten. We maken ons grote zorgen om haar veiligheid.'

Ze kijken naar mij. Waarschijnlijk verwachten ze dat ik ook opsta. Maar ik kan me niet meer herinneren hoe ik mijn benen moet bewegen. Ze voelen slap en zonder kracht aan.

'Claire, lieverd, gaat het?' vraagt mijn vader.

Ik dwing mezelf te glimlachen. 'Ja, hoor. Mag ik nog even naar de wc?'

Hoofdstuk 21

Ik ga op de deksel van de wc zitten. De tegeltjes op de muur hebben dezelfde kleur blauw als vanochtend en het handdoekhaakje is nog steeds kapot. Ik kan bijna niet geloven dat de dingen hier onveranderd zijn gebleven. De rest van mijn leven is in het afgelopen uur voorgoed veranderd. Ik verberg mijn gezicht in mijn handen en begin te huilen. Zachtjes mompel ik Nicks naam, alsof ik daarmee alles wat over hem is gezegd ongedaan kan maken. Nick die meisjes opbelt en laat verdwijnen? Dat kan toch niet? Dat kan toch niet waar zijn? O, alsjeblieft laat het niet waar zijn!

Voetstappen klinken in de gang. Ze stoppen voor de wc. Iemand klopt op de deur.

'Ben je zover, lieverd?' zegt papa. 'We gaan.'

Ik kuch een paar keer zodat hij niet kan horen dat ik huil. 'Ik kom eraan. Nog een minuutje.'

'Oké.' Zijn voetstappen verwijderen zich.

Ik snuit mijn neus in een wc-papiertje en sta op. Mijn spiegelbeeld staart me aan vanaf de spiegel boven het wasbakje. Ik schrik. Mijn ogen zijn opgezwollen en mijn wangen zitten onder de rode vlekken. Ik draai de kraan open en gooi een plens koud water in mijn gezicht. Daarna hou ik mijn polsen onder het stromende water.

Na een paar minuten komen de voetstappen terug. 'Claire, wat doe je allemaal? We hebben onze jas al aan.'

Ik draai de kraan dicht en veeg met de handdoek de druppels van mijn gezicht. De rode vlekken zijn niet verdwenen.

'Ik kom, ik kom,' mompel ik. Snel strijk ik een vochtige sliert haar achter mijn oren. Ik blijf nog even staan, totdat ik mijn vader echt niet langer meer kan laten wachten.

'Klaar.' Ik doe de deur open en kijk papa bewust niet aan. Hij zegt gelukkig niks over mijn behuilde gezicht. Willemsen ijsbeert ongeduldig door het halletje. 'Ah, daar zijn jullie.'

Pap pakt mijn winterjas van de kapstok. 'Hier, meisje.' Mijn vingers trillen zo dat ik de rits pas bij de vierde poging dicht krijg.

We lopen naar de lift. Mijn vader drukt op -1. De deuren gaan dicht. Niemand zegt wat. Willemsen klakt met zijn tong. Papa leunt met gesloten ogen tegen de wand. Bij elke verdieping die we dalen, lijkt de liftcabine kleiner en benauwder te worden. Met een schok komt de lift tot stilstand. Ik weet niet hoe snel ik eruit moet stappen en haal een paar keer diep adem.

Willemsen gaat ons voor door de uitgestorven parkeergarage. De kaarsrechte parkeervakken zijn per verdieping en appartementnummer ingedeeld. Aan het eind zijn de plekken voor bezoekers. We stoppen bij een donkerblauwe auto. Willemsen opent het rechter voorportier voor papa en maakt een uitnodigend gebaar met zijn hand.

Pap schudt met zijn hoofd. 'Ik ga bij Claire op de achterbank zitten.'

'Prima,' bromt Willemsen. 'Wat u wilt.' Hij gooit het portier dicht en loopt naar de bestuurderskant van de auto.

Ik klim op de achterbank. Papa schuift naast me. De auto ruikt nieuw. Op de een of andere manier had ik een auto verwacht die naar sigarettenrook zou stinken, vol met hamburgerwikkels, donuts en lege koffiebekertjes. Maar alles is brandschoon. Ik klik mijn veiligheidsgordel dicht. Willemsen start de motor en rijdt naar de uitgang, het grijze daglicht in. Het sneeuwt nog steeds. Bij het eerste stoplicht is de voorruit bedekt met een wit laagje. De ruitenwissers zwiepen twee halve maantjes schoon.

Mijn vader schuift zijn hand over de achterbank naar me toe. 'Claire,' zegt hij zacht.

Ik kijk naar zijn hand die naast me ligt. Zijn vingers zien er gerimpeld uit, alsof hij heel oud is. Ergens wil ik niets liever dan mijn hand in zijn handpalm leggen, en vastgehouden worden. Maar ik doe het niet. Ik stop mijn handen diep in de zakken van mijn jas. Zuchtend trekt mijn vader zijn hand terug. Hij wendt zijn hoofd af. Ik kijk uit mijn eigen raam.

We rijden door de buitenwijken van Rotterdam naar de ringweg. In mijn jaszak voel ik mijn mobieltje. Ik zoek het kleine knopje linksboven en zet 'm uit. Stel je voor dat Nick belt! Ik zou niet weten wat ik dan moest doen. Vanochtend sms'te hij nog dat hij me ging bellen. Mijn keel wordt dik. Ik slik. Ik mag nu niet aan Nick denken, anders ga ik weer huilen. Ik staar naar de sneeuwvlok-ken, totdat mijn ogen pijn doen.

Met een klik gaat de radio aan. Een mannenstem vertelt dat er 160 kilometer file staat. Willemsen draait zijn hoofd een kort moment naar ons. 'Het is druk door de sneeuw. Er staat een flinke file op de A4. Dit gaat wel even duren.'

Pap mompelt iets.

'Waarom ga je niet even slapen?' zegt hij tegen mij.

Ik wil niet slapen. Maar om niet te hoeven praten, sluit ik mijn ogen. Ik hoor een reclame over een wasmiddel langskomen. Daarna start de jingle van Sky Radio. Nog voordat het eerste liedje begint, wordt de radio uitgezet. Het getik van de richtingaanwijzer klinkt hard in de stille auto. Ik voel dat we naar links gaan. Willemsen schakelt naar een hogere versnelling. Ik leg mijn hoofd tegen het raam. Mijn wang trilt mee met alle hobbeltjes in het asfalt. En dan hoor ik Willemsen opeens zeggen: 'We zijn er.'

Mijn ogen schieten open. Het felle, witte licht verblindt me. Ik knipper een paar keer met mijn ogen. Ik zie een groot, vierkant, grijs gebouw. Het lijkt net een bunker met ramen. Boven op het gebouw staat het woord *Politie*. We zijn er. We zijn er echt. Hoe is het mogelijk dat ik al die tijd heb geslapen? Willemsen draait het parkeerterrein op. Hij parkeert op een plek met een bordje *Gereserveerd Corpsleiding*.

Ik stap uit. Mijn schoenen zakken weg in de sneeuw. Kon ik ook maar in die paar centimeter sneeuw verdwijnen. Maar Willemsen staat ongeduldig te wachten. 'Kom, Claire,' zegt mijn vader.

We volgen Willemsen, die met grote stappen naar de

ingang loopt. De schuifdeuren gaan open en warme lucht blaast in mijn gezicht. Pap en Willemsen lopen naar binnen. Ik blijf op de drempel staan en kijk naar de gang die voor me ligt. Mensen in politie-uniform lopen heen en weer. Ze kijken allemaal heel serieus. Ik wil niet naar binnen. Binnen gaan ze me uithoren over Nick. Mijn vader draait zich om en kijkt me vragend aan. Hij steekt zijn arm uit, alsof hij me wil vastpakken. Misschien moet ik wegrennen. Ik kan naar Zoë's huis gaan en me daar verstoppen. In gedachten ben ik al weg. Maar dan bedenk ik me opeens dat Zoë op school zit. En er is niemand anders naar wie ik toe kan gaan. Een enorme vermoeidheid overvalt me. Heel even ben ik bang dat ik ga flauwvallen. Pap doet een paar stappen in mijn richting. Met loodzware benen loop ik naar hem toe. De schuifdeuren gaan achter me dicht, en het is net alsof ik voorgoed ben opgeslokt door een groot monster.

Hoofdstuk 22

Willemsen stopt bij een grote ruimte met plastic klap-
stoeltjes.

'Hier kunt u wachten,' zegt hij tegen mijn vader.

Het duurt een paar seconden voordat ik begrijp wat hij
zegt. Moet ik alleen met hem mee, zonder pap? Ver-
twijfeld kijk ik naar mijn vader.

Hij glimlacht. 'Het is goed, Claire. Ga maar.'

'We zijn ongeveer anderhalf uur bezig,' zegt Willemsen. 'Bij de receptie kunt u koffie halen. Daar liggen
ook kranten en tijdschriften. Gaat het zo lukken?'

'Geen zorgen. Ik vermaak me wel.' Papa probeert op-
gewekt te kijken, zonder veel succes.

Willemsen pakt mijn elleboog beet. Ik vind het niet
prettig, maar ik durf zijn hand niet van me af te
schudden.

'Zeg je vader maar gedag. Je ziet hem straks weer.'

Ik mompel iets onverstaanbaars, wat blijkbaar goed genoeg is voor Willemsen, want hij trekt me mee. Aan het
eind van de gang gaan we naar rechts. Ik kijk nog één
keer achterom. Ik zie mijn vader op een stoel zitten met
zijn hoofd in zijn handen verborgen.

In een hoog tempo loopt Willemsen door het gebouw. Ik kan hem amper bijhouden. We passeren een koffiezetapparaat, wc's, een trappenhuis. Opeens staat Willemsen stil. Ik knal bijna tegen hem op. Hij pakt de deurklink van een groene deur beet. *Verhoorkamer 3,* lees ik op het bordje. Hij doet de deur open. Met een enorme knoop in mijn maag stap ik over de drempel.

Verhoorkamer 3 is een kleine kamer zonder ramen. In het midden staat een tafel met vier stoelen. Op een van deze stoelen zit een man. Hij ziet er niet uit als een politieagent. Hij draagt een spijkerbroek en een gestreept overhemd waarvan de mouwen zijn opgestroopt. Zijn blonde haar hangt warrig over zijn voorhoofd.

'Dit is Peter Larousse, de bekendste forensische psycholoog van Nederland,' zegt Willemsen. 'Hij is zo vriendelijk om ons te helpen met deze zaak.'

Peter Larousse komt omhoog uit zijn stoel. Hij geeft me een hand. Die is koel en glad.

'H-hallo, ik ben Claire,' stamel ik.

Hij glimlacht. 'Hai, Claire, leuk om je te ontmoeten. Zeg maar Peter, hoor. Anders voel ik me zo oud.'

'O, eh, oké.'

'Ga zitten.'

Ik pak een stoel naast Peter. Willemsen gaat aan de andere kant van hem zitten.

'Claire, weet je iets van forensische psychologie?' vraagt Peter.

'Nee, niet echt.'

'Forensisch betekent dat ik iets met misdaad doe. Ik help de politie met daders opsporen.' Hij kruist zijn armen en leunt achterover. 'De politie kan twee soorten aanwijzingen gebruiken. Fysieke aanwijzingen, zoals vingerafdrukken en DNA, maar ook psychologische aanwijzingen. En daar kom ik om de hoek kijken. Ik probeer de politie een kijkje in het hoofd van de dader te geven. Woont hij nog bij zijn ouders? Hoe oud is hij? Wat is zijn verleden? Van elke misdadiger maak ik een profiel zodat de politie gerichter kan zoeken. Snap je dat?'

Ik knik.

'Mooi zo.' Hij knipoogt. 'Dan kunnen we beginnen. Vind je het goed als ik het gesprek opneem?' Hij legt een kleine taperecorder op tafel.

'Moet er geen advocaat bij?' vraag ik met een piepstemmetje.

'Een advocaat? Waarom?' Willemsen kijkt me fronsend aan. 'Jij hebt toch niks fout gedaan? Of wel?'

Mijn wangen worden knalrood en ik heb geen idee wat ik moet antwoorden.

Willemsens frons wordt dieper.

Peter doorbreekt glimlachend de stilte. 'Wat een gekke vraag. Natuurlijk heeft Claire niks fout gedaan.'

Ik probeer terug te glimlachen. Het mislukt.

'Wil je misschien een glaasje water?' Hij wijst naar een borrelende waterautomaat in de hoek.

'Nee, nee.' Ik ben bang dat ik moet overgeven als ik iets drink.

'We gaan je wat routinevragen stellen,' zegt Peter. 'Hopelijk vinden we op die manier aanknopingspunten. Johan heeft je alles verteld over de vermissingen?'

Hij kijkt naar Willemsen, die bevestigend mompelt.

'Fijn, dat scheelt tijd. Claire, hoe lang wonen jullie al in Rotterdam?'

'Eh, vanaf de zomer.'

Ik kijk onzeker, bang dat ik misschien een verkeerd antwoord geef, maar Peter knikt tevreden.

'En daarvoor woonde je in Amsterdam, toch?'

'Ja.'

'Op welke school heb je daar gezeten?'

'Het Amsterdams Lyceum.'

'Aha, het Amsterdams Lyceum.' Peter wisselt een snelle blik met Willemsen, wiens ogen samenknijpen.

'Is dat n-niet goed?' vraag ik.

Peter wendt zich tot mij. 'Het spijt me, ik zal het uitleggen. Het is juist een belangrijke aanwijzing dat je op het Amsterdams Lyceum hebt gezeten. Twee van de verdwenen meisjes gingen ook naar die school. Ken je Babette van Asperen en Britt Faber?'

Ik schrik ervan de namen te horen. Tot nu toe waren de vermissingen abstract en heel onwerkelijk. Maar Britt Faber ken ik. Het wordt opeens veel echter.

'Britt Faber zat vorig jaar ook in 4 havo. Ik volgde geen lessen met haar, maar ik weet wie ze is.'

'Praatte je wel eens met haar?'

'Nee.'

'Ook niet om hallo te zeggen, huiswerk te kopiëren, of misschien een pen te lenen? Elk detail kan van belang zijn. Denk alsjeblieft goed na, Claire.'

'Ik heb haar echt nooit gesproken. Ze was niet helemaal mijn eh, type.'

Peter trekt zijn wenkbrauwen op. 'O? Hoe bedoel je?'

'Ze was... ze was een beetje een studienerd.'

'Een studienerd?' Peter grinnikt. 'Had ze dan helemaal geen vriendinnen?'

'Er waren wel twee meisjes...' Ik denk na. 'Sara en Isabelle, daar ging ze veel mee om.'

Ik betrap mezelf erop dat ik steeds in de verleden tijd over Britt praat, terwijl niemand heeft gezegd dat ze dood is.

'Volgens mij hebben we deze dames al gesproken, toch?' bromt Willemsen.

Peter knikt. 'Claire, had je misschien wel contact met Babette van Asperen? Ze zat een klas lager dan jij.'

Ik schud mijn hoofd. 'Ik heb geen idee wie ze is. Via via had ik gehoord dat ze was verdwenen, maar dat is alles.' Ik zeg er maar niet bij dat Mark me dat in zijn e-mail heeft verteld. Ik moet er niet aan denken dat deze twee mannen ook nog vragen over Mark gaan stellen!

'Hm.' Peter trommelt met zijn vingers op het tafelblad. 'Iets anders. Heb je wel eens van het Parkendaal Lyceum gehoord?'

'Wat? Het Parkendaal Lyceum? Is dat een school in Amsterdam?'

'Nee, in Apeldoorn.'

'Amber Schmidt zat op die school,' verduidelijkt Willemsen. 'Vandaar.'

'Je hebt Claire over Amber verteld?' vraagt Peter.

'Ja, bij haar thuis. Claire kent Amber niet.'

'Jammer,' mompelt Peter. Tegen mij zegt hij: 'Weet je wat? Ik laat je straks foto's van Amber zien. Misschien herken je haar van een vakantie, of een concert waar je bent geweest. Gezichten zeggen soms meer dan namen.'

'Oké,' zeg ik zwakjes.

'Dan zijn we nu bij het laatste meisje aangekomen. Anouk Bos. Ze is waarschijnlijk 's avonds van haar fiets getrokken terwijl ze naar huis reed. Zegt haar naam je wat?'

Ik sluit mijn ogen. Ik weet dat Anouk Bos is verdwenen. Zoë heeft me dat een tijdje geleden op Hyves verteld. Maar ik had nooit kunnen bedenken dat haar naam in dit gesprek zou opduiken. 'Ja, ik ken Anouk. Ik heb met haar op jazzballet gezeten.'

Blijkbaar wisten ze dit nog niet. De twee mannen kijken me verbluft aan.

'Je kent haar? Van jazzballet? Dat is interessant. Heel interessant zelfs.' Peter klinkt opgewonden.

'Het stelde niet zo veel voor, hoor,' zeg ik snel. 'Ik heb vorig jaar een paar lessen gevolgd. Maar ik vond er niks aan, dus ben ik gestopt. Na die tijd heb ik Anouk nooit meer gezien of gesproken. Ze is niet echt een vriendin van me.'

Willemsen plukt aan zijn snor. 'We moeten straks meteen uitzoeken of Amber, Britt en Babette ook op jazzballet hebben gezeten. Claire, ik wil na dit gesprek alles over die balletschool weten. De naam, het adres, hoe de lerares heette, noem maar op.'

Ze zwijgen. Ik hoop dat dit het einde van dit gesprek betekent. Ik ben moe en ik heb hoofdpijn. Maar Peter schuift zijn stoel nog wat dichter naar de tafel. 'En dan nu misschien wel het belangrijkste,' zegt hij. 'De geheimzinnige beller. Jij bent de enige die ons informatie kan geven. Alle andere meisjes die hij heeft gesproken zijn verdwenen.'

'Dè geheimzinnige beller heeft sinds vandaag een naam,' zegt Willemsen. 'Volgens Claire heet hij Nick.'

'Nick.' Peter spreekt de naam langzaam uit, alsof hij hem letter voor letter proeft. 'Dat is goed nieuws. Een naam zegt veel over iemand, ook al hoeft het natuurlijk niet zijn echte naam te zijn. Deze jongen gaat heel

slim te werk. Hoe heb je Nick leren kennen, Claire?'
Ik snap dat er geen weg meer terug is. Ik doe mijn ogen
dicht. Ik wil niet naar Peter en Willemsen kijken als ik
over Nick vertel. Langzaam begin ik te praten. Mijn
stem klinkt vlak en zonder gevoel. Ik vertel hoe Nick
me per ongeluk belde over de Xbox-games, en onze gesprekken daarna. Ik eindig met de sms'jes van vanochtend in Blijdorp en onze afspraak om elkaar nog te bellen. Dan weet ik niks meer te zeggen. Ik open mijn
ogen. Willemsen en Peter staren me roerloos aan. Ik
merk dat ik diep aan het ademhalen ben, alsof ik een
zware sportles achter de rug heb.
'Ben je verliefd op Nick?' vraagt Peter opeens.
Mijn maag knijpt samen. 'Nee, hoezo?'
Peter kijkt me lang en doordringend aan. Ik zie dat hij
me niet gelooft. 'Luister Claire. De Nick die jij kent, bestaat niet,' zegt hij zacht. 'Dat beeld moet je loslaten.
Hij is niet verliefd op jou. Hij doet alleen alsof. Nick
heeft je uitgezocht met maar één doel voor ogen: jou te
pakken krijgen.'
Ik staar naar mijn handen die als twee vuisten op tafel
liggen.
Willemsen staat op en schuift zijn stoel naar achteren.
'Laten we maar naar ons zenuwcentrum gaan. Dan kan
Claire zelf zien wat Nick allemaal heeft gedaan.'

Hoofdstuk 23

Het zenuwcentrum blijkt het kantoor van Willemsen te zijn. Het is een indrukwekkend grote kamer, met een enorme bureaustoel en een nog groter bureau. Maar mijn aandacht gaat naar de dingen die aan de muur hangen. Grote vellen vol met foto's, woorden en pijlen. 'Elk meisje heeft een eigen papier,' zegt Willemsen. 'Loop er maar langs. Wie weet herken je iets.'

Ik aarzel. Ik wil dit niet. Ik wil geen foto's bekijken van hun leven. Ik wil niet zien hoe ze lachten en onbezorgd in de camera keken, zich niet bewust van alle ellende die nog ging komen.

'Toe maar,' zegt Willemsen wat ongeduldiger.

Ik adem een paar keer diep in en uit, alsof ik daarmee het ongemakkelijke gevoel kan wegblazen, en ik loop naar de muur. Boven het eerste vel staat *Amber* geschreven. Ik bekijk met samengeknepen ogen een foto. Amber staat lachend in een rode bikini op een strand. Ze is slank en ontzettend mooi, net een fotomodel. Ik open mijn ogen wat verder. Het is minder eng dan ik dacht. Dit zijn gewoon vakantiekiekjes. Op de volgende foto speelt ze met een hond. Haar lange, bruine haar

glanst in de zon. Ik weet honderd procent zeker dat ik
haar niet ken. Ook de foto's van haar huis en school in
Apeldoorn zeggen me niks.

'En?' vraagt Willemsen.

Ik schud mijn hoofd. 'Nee, sorry, ik heb haar nog nooit
gezien.'

Het volgende vel is van Britt. Mijn ogen vliegen over
de foto's. Britt achter een bureau, Britt bij een oud gebouw, waarschijnlijk een museum of zoiets, Britt met
haar leesbril en een boek in haar handen. Zo ken ik
haar van school: serieus en altijd bezig met leren. Dan
zie ik opeens een foto die in een hoek is geplakt. Britt
zit aan tafel en glimlacht naar een vrouw. Britt lijkt op
de vrouw. Het is denk ik haar moeder. De foto raakt
me. Britt ziet er lief en kwetsbaar uit. Ik kan me opeens
voorstellen hoe Britts moeder haar dochter nu moet
missen.

Ik huiver en loop snel naar het overzicht van Babette.
Ik hoor Willemsen en Peter achter me meelopen. Babette is weer een heel ander type. Ze is niet echt mooi,
maar ze heeft een vriendelijk en open gezicht. Haar
blonde haar zit op de meeste foto's in een paardenstaart. Misschien heb ik haar wel eens op mijn oude
school zien lopen, maar ik kan het me niet herinneren.
Op het vel staan ook de namen van haar broer en zus
gekrabbeld: Jonas en Fleur. Verder lees ik dat Babette
aanvoerder van haar hockeyteam is, op saxofoonles zit
en voor de schoolkrant schrijft. Ik denk dat ik Babette
wel aardig had gevonden. Nu weet ik niet of ik haar
ooit nog zal ontmoeten.

Bij het papier van Anouk komt Willemsen naast me
staan. Hij trekt de dop van een zwarte merkstift. De

punt krast over het papier. Zwijgend schrijft hij: *Jazz-ballet met Claire*. Dan doet hij weer een stap naar achteren. Ik bekijk de foto's. Anouk ziet er nog net zo uit als een jaar geleden. Tenger, klein, met glanzend donker haar. Misschien heb ik tijdens de lessen een paar woorden met haar gewisseld. Maar ik was vooral heel opgelucht dat Zoë en ik na een paar keer met jazzballet stopten.

Het laatste vel papier hangt wit en leeg aan de muur. Mijn naam staat er in grote letters boven geschreven. Ik sla mijn hand voor mijn mond. 'Jezus,' mompel ik. Opeens komt de angst opzetten. Stel je voor dat mijn papier straks ook wordt volgeplakt met foto's! Mijn keel knijpt dicht van paniek. Ik hoef alleen maar naar de vier andere vellen te kijken om te snappen dat deze angst reëel is.

Peter pakt mijn arm. 'Rustig, Claire, je hoeft niet bang te zijn. Jou overkomt niks. We gaan je goed beschermen, oké?'

Ik weet niks te antwoorden. Het is allemaal zo onwerkelijk. Ik draai met mijn voet rondjes over het tapijt.

'Hoorde je wat ik zei, Claire?'

'Ja.'

'We gaan echt heel goed op je letten.'

'Ja,' zeg ik nog eens. De neus van mijn schoen boort zich diep in het tapijt. 'D-denken jullie... Denken jullie echt dat Nick dit heeft gedaan?'

Hij knikt. 'Ja, het spijt me.'

'Maar waarom? Waarom doet hij dit?'

'Dat is nou net het probleem. Dat weten we nog niet.' Peter kijkt peinzend. 'Kom, ik wil je laten zien hoe we te werk gaan.'

Hij neemt me mee naar de andere kant van de kamer. Mijn benen trillen zo hevig dat ik blij ben dat hij mijn arm vasthoudt. Willemsen volgt een paar passen achter ons. Aan deze muur hangen twee menshoge kaarten: een van Amsterdam en een van Nederland. In de kaarten zijn her en der vlaggetjes geprikt. Rode vlaggetjes, blauwe vlaggetjes en één groen vlaggetje.

'Zo proberen we verbanden te leggen tussen de meisjes die zijn verdwenen,' legt Peter uit. 'Kijk, de blauwe vlaggetjes geven aan waar de meisjes wonen. De rode vlaggetjes zijn de plekken waar ze vermoedelijk zijn verdwenen.'

Ik zie een rood vlaggetje in het Vondelpark, op de Keizersgracht, net boven de ring van Amsterdam, en één in Apeldoorn. Ik kijk nog wat beter: op de vlaggetjes staan de namen van de meiden. Razendsnel check ik het groene vlaggetje dat in Rotterdam is geprikt. Mijn naam staat erop. *Groen is al wel gebeld, maar nog niet verdwenen*, vul ik in mijn hoofd het rijtje van Peter aan.

'Ik moet dus geen rood vlaggetje worden,' zeg ik met een beverige stem.

Peters wenkbrauwen schieten omhoog. Het is even stil. Dan lacht hij. 'Natuurlijk word je geen rood vlaggetje. Doe niet zo gek.'

Willemsen lacht niet en staart naar de grond.

'We proberen te begrijpen waarom Nick jullie heeft uitgekozen,' zegt Peter. 'Dat is best lastig. Jullie zijn niet dezelfde types. Jullie zitten niet op dezelfde school. Het lijkt alsof jullie elkaar niet kennen. Misschien zijn jullie toevallig een keer op een bepaalde plek geweest, maar dat is niet erg waarschijnlijk.'

Hij zwijgt even en haalt zijn hand door zijn haar. 'Wat

we wel weten is dat jullie allemaal van dezelfde leeftijd zijn. Dat is een belangrijk gegeven, maar daarmee kunnen we Nick niet vinden. Er moeten meer aanknopingspunten zijn. Wie weet zit er een geografisch patroon in de vermissingen, en gaat hij zo te werk.'

Peter wijst met zijn vinger een voor een de rode vlaggetjes aan. De denkbeeldige lijn gaat van Apeldoorn naar Amsterdam en als laatste naar mijn groene vlaggetje in Rotterdam. 'Er zit niet echt een patroon in, vind je ook niet?'

Ik knik en hoop dat hij snel zijn vinger bij mijn vlaggetje weghaalt.

'Toch gaan we op deze manier alles na, hoe onnozel en onwaarschijnlijk sommige dingen ook lijken. Er kan opeens een doorbraak zijn. Zo hebben we gisteren ontdekt dat alle meisjes met Ambers telefoon zijn gebeld. Ons rechercheteam heeft daarvoor dagen in telefoonlijsten zitten spitten.'

Peter kruist zijn armen. 'In de telefoonlijsten kwam ook duidelijk naar voren hoe hij te werk gaat. Nick belt een meisje op. Daarna ontstaat er een intensief contact, aan de oplopende frequentie van de telefoongesprekken te zien. Waarschijnlijk bouwt hij een band met het meisje op, wint hij haar vertrouwen.'

Dit gaat ook over mij, weet ik, maar die gedachte druk ik ver weg. 'M-maar hoe heeft hij Amber dan gebeld?' vraag ik. 'Toch niet met haar eigen telefoon?'

'Scherp opgemerkt,' bromt Willemsen. 'Daar missen we inderdaad nog een belangrijk stuk informatie.'

'Claire mag bij ons komen werken,' lacht Peter. 'De vraag is inderdaad: hoe heeft Nick contact met Amber gezocht? We onderzoeken nu haar belgegevens. We checken alle telefoonnummers waardoor ze de afgelopen weken is gebeld. Maar tot nu toe lijkt het weinig op te leveren. De meeste nummers zijn van vriendinnen. We denken eigenlijk dat Nick op een andere manier met Amber in contact is gekomen.'

Willemsen kijkt op zijn horloge. 'Dit lijkt me genoeg voor vandaag. Het is bijna halfzeven. Ik breng Claire terug naar haar vader.'

'Is het al zo laat? Jeetje, ik heb over een halfuur een eetafspraak. Dat wordt rennen,' zegt Peter. Hij legt zijn hand op mijn schouder. 'Claire, luister, je moet nog iets heel belangrijks voor ons doen.'

'W-wat dan?'

'Je moet een lijst maken van alles wat je over Nick weet. Misschien kun je de telefoongesprekken in je hoofd nalopen? Elk detail is van levensbelang. Er zijn wel eens seriemoordenaars gepakt door het merk waspoeder dat ze gebruikten.'

'Eh, oké.'

'We hebben de lijst morgenochtend nodig. Elke seconde telt in deze zaak. Er staan levens op het spel.' Peter buigt zich naar me toe. Hij is nu zo dichtbij dat ik zijn adem op mijn gezicht voel. 'Zonder jou kunnen we Nick niet pakken. Ik snap dat dit een grote druk op je legt. Maar kan ik op je rekenen?'

Ik knik.

'Mooi zo.' Hij haalt zijn hand van mijn schouder en loopt naar de deur. 'Ik zie jullie morgen.'

'Kom,' zegt Willemsen. 'Wij gaan ook.'

Ik volg hem naar de gang en werp nog een laatste blik op de grote vellen aan de muur. Het voelt alsof ik een stukje van mezelf in het kantoor achterlaat.

Hoofdstuk 24

De agent die ons naar huis rijdt, heet Rudolf Janssen.
Hij is jong, waarschijnlijk rond de vijfentwintig, en hij
komt vriendelijk en geïnteresseerd over. Gelukkig voelt
hij aan dat papa en ik weinig behoefte aan praten hebben. In stilte rijden we over de snelweg. Ik staar uit het
zijraampje. Een lange rij koplampen trekt stapvoets
voorbij. De avondspits lost maar moeizaam op.
Willemsen heeft in Amstelveen afscheid van ons genomen. Hij heeft uitgelegd dat Janssen de hele avond en
nacht voor onze flat blijft staan om 'de boel in de gaten
te houden'. Verder heeft Willemsen ons op het hart gedrukt met niemand over Nick te praten, niet met fami-
lie, niet met vrienden, en zeker niet met de pers, want
'dat zou de zaak ernstig in gevaar kunnen brengen'.
Mijn mobieltje heb ik aan Willemsen moeten geven. Ik
krijg hem morgenochtend terug, als Willemsen en
Peter in Rotterdam langskomen. Eigenlijk was ik best
opgelucht om mijn telefoon in Willemsens zak te zien
verdwijnen: met mijn mobiel verdween ook de mogelijkheid dat Nick me belde.
We naderen Rotterdam. Janssen neemt de afslag *Cen-*

trum. Via de Schieweg rijden we de binnenstad in. Het is koopavond en druk. Overal lopen mensen met volle boodschappentassen en de winkels hebben hun deuren wagenwijd open. Bij de kruising van de Coolsingel en de Blaak moet Janssen stoppen. Een ambulance passeert ons met gillende sirenes. Het blauwe zwaailicht flikkert in de auto en verdwijnt dan weer in de verte. Het geeft me een onheilspellend gevoel. Hopelijk is dit geen slecht voorteken.

Janssen rijdt de Boompjes op en stopt aan de zijkant van onze flat. Hij laat zijn auto stationair draaien. We stappen uit. Het is koud. Er is hier vandaag zeker vijf centimeter nieuwe sneeuw gevallen.

'Hebben jullie alles?' vraagt Janssen. Hij stampt met zijn zwarte schoenen in de sneeuw en blaast in zijn handen. 'Geen jassen of huissleutels in de auto laten liggen?'

Mijn vader schudt zijn hoofd.

'Dan laat ik jullie alleen. Ik ga een onopvallend plekje voor de nacht zoeken.' Hij bukt en stapt in. Een paar seconden later gaat zijn raam open. Janssen steekt zijn hoofd naar buiten. Zijn blonde haar waait op.

'Bel me alsjeblieft als er iets is. Het maakt niet uit hoe laat. Ik ben toch de hele nacht wakker. Hier staat het nummer van mijn mobiel en mijn pieper op.'

Hij geeft zijn kaartje aan papa.

'Kan ik iets te eten of te drinken voor je halen?' vraagt pap.

Janssen klopt op een rugzak die op de stoel naast hem ligt. 'Hier zit alles in. Koffie, broodjes. Ik red me wel. Goeie nacht.'

Hij geeft gas en rijdt langzaam weg. We kijken zijn grijze auto na, die om de hoek verdwijnt.

Papa en ik lopen naar de ingang. De portier achter de balie mompelt een gedag, maar lijkt meer interesse te hebben in het computerspelletje dat hij vasthoudt. We gaan met de lift omhoog. Ik ben blij dat er geen andere mensen instappen. De liftdeuren gaan op de elfde verdieping open en in een paar stappen staan we voor onze voordeur. Pap steekt de sleutel in het slot. Heel even krijg ik het idiote idee dat Nick ons aan de andere kant van de deur opwacht. Maar de gang is leeg. Papa knipt het licht aan en schuift de grendel voor de deur. Hij loopt naar de huiskamer en doet daar ook alle lichten aan. Als laatste trekt hij de gordijnen dicht.

Hij draait zich om en kijkt me aan. Ik zie nu pas hoe donker zijn wallen zijn. En hoe vaal zijn huid is. Zo slecht heeft hij er sinds mama's dood niet meer uitgezien. Ik weet niet wat ik moet doen en blijf staan waar ik sta.

'Wil je nog wat eten?' vraagt hij. 'Ik kan een ei bakken of zoiets.'

Ik schud mijn hoofd.

'Zullen we dan maar gaan slapen? Ik ben helemaal afgepeigerd, eerlijk gezegd.'

Het is negen uur, zie ik op de klok die aan de muur hangt. Maar voor mijn gevoel heb ik drie nachten niet geslapen. 'Goed.'

Papa loopt met me mee naar mijn slaapkamer. Hij controleert of het raam goed dichtzit. Daarna laat hij het rolgordijn zakken.

'Niemand kan hier binnenkomen,' zegt hij glimlachend.

'Ga je morgen werken?' vraag ik.

'Natuurlijk niet. Je denkt toch niet dat ik je alleen laat? Ik heb vrij genomen , zo lang als het nodig is.'

Er valt een stilte. Papa aarzelt, en geeft me dan een zoen op mijn voorhoofd.

'Ga maar slapen, lieverd. Het was een vermoeiende dag. Ik laat je deur open.'

Hij blijft in de deuropening staan, alsof hij zich opeens iets bedenkt. 'Claire, je hoeft maar te roepen, en ik ben bij je, oké?'

Ik betwijfel of hij hier snel genoeg kan zijn als er echt iets aan de hand is, maar dat zeg ik niet. 'Oké.'

'Welterusten Claire.'

'Welterusten pap.'

Hij verdwijnt in de gang. Ik hoor hem naar de huiskamer lopen. De deur piept. Dan wordt het stil.

Ik trek mijn kleren uit, schop mijn schoenen in een hoek en stap in mijn pyjama. Zonder tandenpoetsen kruip ik in bed. Ik ga op mijn zij liggen en staar naar de muur. Mijn ogen branden en mijn hart roffelt in mijn borstkas. Ik moet aan Babette, Anouk, Britt en Amber denken. Zonder dat ik het wil zie ik hun foto's weer voor me. Waar zouden ze zijn? Leven ze nog? En wat zouden ze nu voelen? Dezelfde angst die ik nu ook voel?

Een schel geluid klinkt door het stille appartement. Ik hou op met ademhalen en kijk paniekerig in het rond. Wat is er aan de hand? Pas na een paar seconden herken ik mijn vaders telefoon in het geluid. Ik adem langzaam uit.

'Hallo?' hoor ik mijn vaders gedempte stem zeggen.

Stilte.

'O, dag schat. We zijn net thuis. Ik heb nog geen tijd gehad om je te bellen.' Hij mompelt iets. 'Ja, ja, Claire houdt zich naar omstandigheden goed.'

Weer een stilte, iets langer deze keer.

'Ik mis jou ook. Maar ik kan nu niet naar je toe komen, dat begrijp je toch wel?'

Het wordt opnieuw stil. Ik tel de seconden. Na zeventien tellen zegt papa: 'Rustig nou, lieverd. Er overkomt mij niks. En Claire ook niet. Je moet je niet zo veel zorgen maken. De politie let goed op ons, heus, geloof me.'

Ik friemel aan de stof van mijn dekbed.

'Bernadet,' zegt mijn vader, terwijl hij zijn stem laat zakken. 'Claire kan me horen. Zullen we dit gesprek een andere keer voeren?'

Enkele tellen later: 'Ja, lieveling, ik hou ook heel veel van jou.' Zijn stem klinkt nu zacht. En vriendelijk. 'Slaap lekker, we bellen morgen.'

In gedachten zie ik Bernadet aan de andere kant van de lijn ophangen. Voor het eerst in maanden voel ik geen woede als ik aan haar denk. Ik ben alleen maar verdrietig. En bang. En in de war. Er is gewoon geen plek meer in mijn hoofd voor boosheid.

Tranen druppen over mijn wangen.

'Mama,' huil ik. 'O, mama. Waarom gebeurt dit? Waar ben je? Help me. Help me, alsjeblieft.'

Het blijft stil.

Lang tijd is er alleen maar stilte.

Ik krijg het koud en kruip dieper onder mijn dekbed. Kon ik het dekbed maar over mijn hoofd trekken en me voor altijd verstoppen. Voor Willemsen en Peter. Voor Nick. Voor iedereen.

De badkamerdeur gaat open en dicht. Ik hoor stromend water en de wc die wordt doorgetrokken. De badkamerdeur gaat weer open. Mijn vader loopt naar zijn slaapkamer.

Ik doe mijn bedlampje uit. Het ganglicht trekt een brede, gele streep door mijn kamer. Ik knijp mijn ogen dicht. Buiten blaft een hond. Er kraakt wat. Een plank? De vloer van de bovenburen? Ik slik. Mijn hartslag versnelt. Hou op, hou op, hou op, spreek ik mezelf toe. Ik ben hier veilig. Papa ligt een paar meter verder in zijn kamer te slapen. Alle ramen en deuren zijn dicht. Buiten houdt een politieagent de wacht. Er kan niks gebeuren. Ik knijp mijn ogen nog stijver dicht.

Het is pikdonker in mijn kamer als ik mijn ogen weer opendoe. Ik knipper een paar keer verbaasd. Het donker blijft. Heeft mijn vader soms mijn slaapkamerdeur dichtgedaan? Ik rol op mijn rug. Mijn haren zijn bezweet en mijn pyjama kleeft aan mijn huid, alsof ik hoge koorts heb. Blijkbaar ben ik in een onrustige slaap gevallen. Ik staar in het duister. Mijn keel is droog en ik heb dorst. Opeens hoor ik iets, een zacht gesnuif. Ik luister ingespannen. Stilte. Heb ik het me verbeeld? En dan is het geluid er weer. Harder en duidelijker. Ik herken het meteen. Er ademt iemand in mijn kamer, vlak bij het raam! Ik wil wegrennen, maar mijn benen willen niet bewegen. Ik wil om hulp roepen, maar mijn stem is verdwenen. Verstijfd van angst hoor ik de ademhaling dichterbij komen. Een kuchje. Er wordt een hand op mijn voorhoofd gelegd.

Ik sla om me heen. 'Nee,' schreeuw ik. Mijn stem is terug. 'Nee, nee, nee, laat me los,' schreeuw ik zo hard als ik kan.

'Claire, wakker worden. Je hebt een nachtmerrie.'

Het donker verdwijnt. Er valt weer een streep ganglicht in mijn kamer. Ik zie een gedaante op mijn bedrand zitten.

'Nee,' zeg ik nog een keer, nu veel zachter.

De hand op mijn voorhoofd veegt een pluk haar weg.

'Het was maar een droom, lieverd. Het was maar een droom.'

'O, papa, hij was in mijn kamer.'

Papa's hand aait over mijn wang. 'Ssst, niet meer aan denken. Er is niemand in je kamer.'

'Ik was zo bang, zo bang.'

'Lieve schat, je bent helemaal warm. Ik haal wat te drinken voor je.'

Mijn vader loopt weg en komt terug met een glas water. 'Hier.'

Ik ga overeind zitten en drink gulzig een paar slokken.

'Gaat het weer een beetje?' vraagt mijn vader.

Ik geef het glas terug en ga liggen. 'Ja.'

'Probeer nog maar wat te slapen.'

'Wil je een lichtje aandoen?'

Papa knipt mijn bedlampje aan. Het zachtgele schijnsel haalt de donkere vormen en schaduwen uit mijn kamer.

'Zo goed?'

'Ja, dank je.'

'Slaap lekker.'

'Jij ook.'

Ik druk mijn hoofd diep in het kussen. De rood verlichte cijfers op mijn wekker geven 03.46 aan. Ik kan me niet voorstellen dat ik nog in slaap ga vallen.

Hoofdstuk 25

Ik word wakker van een wc die wordt doorgetrokken. Verdwaasd staar ik naar mijn wekker. 09.15 uur. Ik kan het niet geloven en kijk nog een keer. Ik zie de 5 een 6 worden. 09.16 uur. Het is echt ochtend. Ik heb de nacht overleefd. Ik schop het dekbed van me af en stap uit bed. Met stijve spieren loop ik naar mijn raam en ik trek het rolgordijn omhoog. Zonlicht weerkaatst in het water van de Maas. Ik kijk naar beneden. Auto's, vrachtwagens en een tram rijden voorbij, maar ik zie nergens een grijze auto. Zou Rudolf Janssen naar huis zijn? Ik laat het rolgordijn weer een stukje zakken.

En nu? Een moment lang weet ik het echt niet. Normaal begint mijn vrijdagochtend met Engels op school. Maar mijn leven is sinds gisteren verre van normaal. Ik zit opgesloten op de elfde verdieping van deze flat. En zelfs dat geeft me geen veilig gevoel. Ik slof naar de douche en draai de warmwaterkraan ver open. Het water is zo heet dat mijn huid begint te tintelen. Ik was mijn haren. De badkamer vult zich met stoom. Ik kan de wasbak niet meer zien. Opeens heb ik moeite met ademhalen. In films worden vrouwen altijd onder de douche vermoord. En papa kan me hier niet horen. Snel draai ik de kraan dicht. Ik gris een handdoek van het rek en ren naar mijn slaapkamer. Druipend sta ik op de vloer. Ik hoor mijn vader in de keuken rommelen. De zon schijnt nog steeds. Mijn ademhaling wordt rustiger.

Ik droog me af en haal een borstel door mijn natte krullen. Uit de kast pak ik een spijkerbroek en een versleten capuchontrui. Ik ga mijn gezicht vandaag niet opmaken. Er is toch niemand die het ziet. Ik trek mijn gympen aan en loop naar de keuken.

'Goeiemorgen, schone slaapster.' Papa zit met de krant aan de keukentafel en doet alsof er niks aan de hand is. Maar zijn wallen zijn nog donkerder dan gisteravond.

'Heb je een beetje kunnen slapen?'

'Jawel.' Ik ga zitten.

'Dat is fijn om te horen. Luister, ik heb een eitje voor je gekookt. Halfzacht, precies goed. En ik heb sinaasappels voor je uitgeperst.'

De aanblik van de volle ontbijttafel maakt me misselijk.

'Lekker,' mompel ik.

Papa neemt een slok van zijn koffie. 'Willemsen belde net. Ze zijn onderweg. Waarschijnlijk zijn ze hier rond een uurtje of elf.'

'Hm-mm.' Ik tik de schaal van het eitje kapot. Langzaam peuter ik de stukjes eierschaal los.

'Rudolf Janssen heeft vanochtend ook gebeld. Hij heeft een rustige nacht gehad. Er is niks geks gebeurd. Hij is weer terug naar Amsterdam gereden. Er staat nu een andere agent voor onze flat.' Pap fronst zijn voorhoofd.

'Ik ben de naam van die man vergeten. Nou ja, dat komt nog wel.'

Ik rol het gepelde ei van links naar rechts over mijn bord.

Mijn vader schuift een stapeltje kaarten naar me toe.

'Kijk eens wat er met de post is binnengekomen.'

Ik pak de kaarten een voor een op. Er is een kaart van mijn oma, van een tante, onze oude buren, en eentje van mijn moeders beste vriendin. Allemaal schrijven ze iets over morgen, mama's sterfdag. Ik neem een slokje van mijn verse jus en moet een kokhalsneiging onderdrukken.

'Fijn, hè, dat iedereen zo aan mama denkt,' zegt hij. 'Er zullen vandaag en morgen nog wel meer kaarten komen.'

'Ja.' Ik sta op. Ik moet iets doen.

Papa kijkt verbaasd. 'Heb je genoeg gegeten? En je ei dan?'

'Ik heb niet zo'n honger. Vind je het goed als ik nog even naar mijn kamer ga?'

'Natuurlijk, wat jij wilt. Ik roep wel als ze er zijn.'

Ik zet mijn computer aan en log in op mijn hotmail-account. Ik heb één nieuw mailtje, van Zoë. Het onderwerp is: **waarom neem je niet op????** Ik open het berichtje.

Aan: claire_love123@hotmail.com
Van: misszoe@hotmail.com
Onderwerp: waarom neem je niet op????

Joehoe, leef je nog??? Ik heb je gister de hele dag gebeld, maar je nam niet op. En je stuurt ook geen sms terug ☹

Laat ff weten of ik morgen nog moet komen, please.
Anders ga ik naar een feest in de Odeon.

xje Z.

Ik denk even na en druk op beantwoorden.

Aan: misszoe@hotmail.com
Van: claire_love123@hotmail.com
Onderwerp: RE: waarom neem je niet op????

Sorry, telefoon is weg. Zullen we morgen rond een
uurtje of vijf afspreken?

Ik denk nog wat dieper na.

Ik kan je niet ophalen van het station. Kan je hier zelf
naartoe komen? Het beste kan je de metro nemen,
Erasmuslijn. Uitstappen bij halte Beurs. Lief dat je komt.

-x-

Ik verstuur de mail. Papa en Willemsen zullen niet blij
met me zijn.
Er is nog iets wat ik moet doen. Ik ga rechtop zitten en
pak een pen. Ik kan geen papier vinden, maar wel een
lege envelop. Op de achterkant schrijf ik: *Nick.* Daaron-
der maak ik alvast een rij met puntjes voor alle dingen
die ik me over hem kan herinneren. Dan staar ik uit
mijn raam. De lucht is strakblauw, bijna paars. Ik wilde
dat ik het raam kon opendoen zodat de koude buitenlucht door mijn kamer kon waaien. Maar ik durf het

niet. Ik wil me veilig voelen. *En dat kan pas als Nick is opgepakt.*

Ik dwing mezelf in gedachten terug te gaan naar het eerste telefoongesprek. Ik kan Nicks warme, vriendelijke stem bijna horen. Kippenvel trekt over mijn armen. Ik schrijf:

- Verkeerd verbonden
- Op zoek naar Liliane/Xbox-games
- Nick heeft Thijmen Brosius (oud-klasgenoot) daarna gebeld voor games. Tel: 06-7856790

Nicks stem praat verder in mijn hoofd. Mijn pen schrijft mee.

- Woont in Amsterdam
- 25 jaar
- Voetbalt ergens in Amsterdam
- Filmacademie gedaan

Mijn handschrift is heel rond en netjes, zoals een kind van zes dat op school leert. De lijst wordt steeds langer. Ik draai de envelop om en ga verder op de voorkant. Mijn pols verkrampt.

- Eigen bedrijf: Bas & Nick Movie Productions
- Filmt morgen (zaterdag) een huwelijk in Hotel New York
- Vader paar jaar geleden overleden: fietsongeluk

Ik vind het genoeg en leg mijn pen weg. Als de politie Nick zo niet kan vinden, dan weet ik het ook niet meer.

Ze hoeven morgen maar naar Hotel New York te gaan om hem te pakken. Ik vouw de envelop op en stop hem in de zak van mijn spijkerbroek. Bewegingloos blijf ik zitten. Het voelt alsof ik vastgeplakt zit aan mijn bureaustoel. Ik tel tot tien en sta op. Precies op dat moment gaat ook de bel van de voordeur.

Hoofdstuk 26

'Ja?' vraagt papa door de intercom. 'Wie is daar?'
'Willemsen, politie Amsterdam-Amstelland,' hoor ik
zijn stem kraken. 'Wilt u de deur opendoen? We staan
met een hele afvaardiging op de stoep.'
'Oké.' Mijn vader drukt op de knop onder de intercom.
Er klinkt een hard gezoem, een hoop geruis en dan stilte. We wachten totdat er op de deur van ons appartement wordt geklopt.
Papa doet open. Willemsen is de eerste die naar binnen
stapt, op de voet gevolgd door Peter. Achter hem lopen
twee mannen.
'Morgen,' zegt Willemsen. Hij wijst naar de twee mannen. 'Dit zijn Beek en Overmars, van onze digitale af-
deling. Ze gaan ons vandaag helpen met alle technische
dingen.'
Beek en Overmars knikken. De man die Beek heet, en
een bril draagt, wijst naar de hal. 'Kunnen we de spullen naar binnen brengen?'
Ik zie een steekkar volgeladen met zwarte koffers en
tassen. Ik heb werkelijk geen idee wat ze allemaal hebben meegebracht.

Willemsen kijkt naar mijn vader. 'Mogen ze de apparatuur in de huiskamer installeren? Dat lijkt me de beste plek.'

'Natuurlijk, geen probleem,' zegt papa snel. 'Zullen wij dan ergens anders naartoe gaan?'

We lopen naar de keuken. Willemsen hangt zijn regenjas over een stoel en neemt plaats aan de keukentafel. Peter heeft geen jas en ziet er in zijn lichtblauwe trui uit alsof hij gaat golfen. Hij gaat naast Willemsen zitten. Ik pak de stoel zo ver mogelijk bij hen vandaan.

'Koffie?' vraagt papa.

'Nou, dat sla ik niet af,' bromt Willemsen.

'Lekker,' zegt Peter. Hij kijkt mij aan: 'Hoe heb je vannacht geslapen, Claire?'

Dit is de eerste vraag die aan me wordt gesteld sinds ze hier zijn. Ik schrik er een beetje van. 'Eh, gaat wel,' stamel ik.

Hij knikt. Er ligt een uitdrukking van begrip en medeleven op zijn gezicht. 'Ik zou ook niet lekker slapen als ik in jouw schoenen stond, hoor. Ik begrijp heel goed hoe moeilijk dit voor je moet zijn. Je hele leven staat op z'n kop. En dan ook nog die angst dat je niet weet hoe dit gaat aflopen. Ik vind je ontzettend moedig en flink.'

Ik slik een paar keer, maar krijg de brok in mijn keel niet weg. 'B-bedankt.'

Papa zet twee mokken op de tafel. 'Suiker en melk staan daar.' Hij wijst naar het zilverkleurige kannetje en suikerpotje die mama ooit op een rommelmarkt heeft gekocht.

'Claire,' zegt Peter, 'heb je die lijst met dingen over Nick nog kunnen maken?'

Ik knik en haal de envelop uit mijn broekzak. 'Meer kon ik me niet herinneren. Maar jullie kunnen hem heel makkelijk pakken. Hij is morgen in Hotel New York aan het werk.'

'O.'

'Ja, hij moet een huwelijk filmen, of zoiets.'

Peter neemt een slok van zijn koffie. 'Ik ben ontzettend blij met de lijst. We gaan alles meteen natrekken. Maar ik acht de kans niet heel groot dat Nick morgen in Hotel New York is. Hij vond het waarschijnlijk alleen belangrijk dat jij dacht dat hij daar zou zijn. Nick maakt zijn eigen werkelijkheid, snap je dat?'

Niet helemaal, wil ik zeggen. Maar Beek en Overmars komen de keuken binnen.

'Is het gelukt, mannen?' vraagt Willemsen.

Overmars haalt een hand door zijn achterovergekamde haar. 'Alles staat in de huiskamer klaar. We kunnen beginnen. Geef maar een seintje.'

'Koffie?' vraagt mijn vader.

Ze knikken allebei.

Pap zet nog twee mokken op tafel.

Willemsen neemt een grote slok van zijn koffie. Er blijven druppeltjes in zijn snor hangen. 'Wat ik eerst zou willen doen, is een beetje verder praten over Nick, je vrienden, school, en nog wat andere dingen, goed?'

Het lijkt me dat ik geen keus heb, dus ik antwoord: 'Oké.'

'Wil je misschien je agenda halen?' vraagt hij, terwijl hij ondertussen zijn snor afveegt. 'Dan kunnen we een goed beeld krijgen van de dingen die je de afgelopen tijd hebt gedaan.'

De afspraken in mijn agenda zijn op één hand te tellen.

Voor de rest staat er alleen maar huiswerk in. Ik haal mijn schouders op. 'Hij ligt in mijn slaapkamer.'
Peter knipoogt. 'Ga maar halen. We lopen niet weg.'

Als ik terugkom met mijn agenda, zijn mijn vader, Beek en Overmars uit de keuken verdwenen. Ik hoor hun gedempte stemmen uit de huiskamer komen.
'Ik heb gevraagd of ze ons alleen wilden laten,' zegt Willemsen. 'Dat leek me beter.'
Hij bladert door mijn agenda. Ik zie hem fronsen bij de foto's en stickers die ik erin heb geplakt. 'We zijn vooral benieuwd met wie je de afgelopen twee weken contact hebt gehad.' Hij prikt met zijn vinger in mijn agenda. 'Laten we beginnen bij zaterdag 8 november. Hier staat: naar Zoë in Adam. Wie is Zoë?'
Ik zucht. 'Zoë is mijn beste vriendin.'
Peter en Willemsen stellen de ene na de andere vraag. Hoe ken ik Zoë? Waar woont ze? Wat voor afspraak had ik zaterdag 8 november met haar? Zijn er toen vreemde dingen gebeurd? Ik vertel alles, ook over het zoenen met Pieter en de ruzie die daarop volgde. Dit gegeven lijkt Willemsen en Peter te interesseren, want ze gaan door op Pieter. Met tegenzin vertel ik dat ik met hem heb gezoend om mijn ex te kwetsen. Nu willen ze opeens alles over Mark weten. Ze blijven maar vragen op me afvuren, steeds verder terug in het verleden, totdat ik het idee heb dat ik dingen moet vertellen die ik me niet meer kan herinneren.
Willemsen slaat een bladzijde om in mijn agenda. Een nieuwe week. En nieuwe vragen. Ze blijven stilstaan bij zaterdag 15 november, het bezoek van Zoë aan Rotterdam. Ik haal diep adem en vertel over ons bezoek

aan de Hollywood Music Hall. Uiteindelijk moet ik ook over Gregory vertellen. En over onze nacht samen. Ik zie de interesse in hun ogen groeien. Als ik ben beland bij zijn oververhitte reactie van afgelopen maandag, slaat Willemsen met zijn vuist op tafel: 'We moeten hier straks meteen werk van maken. Waar woont hij?'

Ik probeer te omschrijven waar Kevin, de vriend van Gregory, woont. De straatnaam en het huisnummer weet ik niet, maar Willemsen lijkt genoeg te hebben aan de informatie die ik hem geef.

Peter verschuift zijn stoel een stukje. 'Zijn er nog meer jongens in je omgeving die zich verdacht hebben gedragen?'

Ik denk na en schud mijn hoofd. 'Niet dat ik weet.'

'Vaak zien we dat slachtoffers de dader al kennen, of een keer toevallig zijn tegengekomen,' zegt Peter. 'Nick kan iemand zijn die in de supermarkt een praatje met je heeft gemaakt. Of misschien heeft hij de weg aan je gevraagd. Maar hij kan ook een vage vriend zijn die opeens veel aandacht aan je schenkt. Je moet goed kijken naar vreemde of opvallende ontmoetingen.'

Mismoedig staar ik hem aan. Op deze manier kan Nick iedereen zijn. 'I-ik zal mijn best doen.'

'Ik zal je een beetje helpen.' Hij glimlacht. 'We weten natuurlijk niet wie Nick is, maar we hebben wel een idee naar wat voor soort persoon we moeten zoeken. Nick is waarschijnlijk een blanke man van rond de vijfentwintig, dertig jaar. Hij is slim en heel berekenend. Het gaat erom dat hij zijn macht wil tonen. Nick zal geen in het oog springend figuur zijn. Waarschijnlijk heeft hij zich aan de omgeving aangepast.'

Peter kruist zijn armen. 'We kunnen ook veel leren van zijn achtergrond. Vaak zien we dat dit soort personen vroeger emotioneel verwaarloosd zijn. We noemen dit in mooie woorden een "hechtingsstoornis". Hierdoor zal Nick moeite hebben om emoties zoals schuld of wroeging te voelen. Zijn eigenbelang zal altijd boven dat van anderen gaan. Dit kan op een duidelijk zichtbare wijze gebeuren, maar het kan ook zo zijn dat Nick zich schijnbaar aardig en sociaalvoelend voordoet om daarmee zijn doel te bereiken. Hij heeft jou en de andere meisjes tenslotte zo gemanipuleerd dat jullie niks doorhadden.'

Er valt een stilte. Ik kan niets uitbrengen. Het is gewoon onmogelijk. Ik vind het afschuwelijk om Peter zo over Nick te horen praten. En over mij.

Willemsen schraapt zijn keel. 'Laten we het hier maar bij houden. We praten maandag op het bureau wel verder. Ik zou nu graag naar de huiskamer willen gaan.'

'Eh,' hakkel ik.

'Ja?' Willemsen staat op.

'Ik, eh... mijn vader... Mijn vader weet niks over die jongens en dat ik met eentje heb geslapen.'

Hij kijkt me misprijzend aan, alsof hij blij is dat ik zijn dochter niet ben. 'Alles wat je hier hebt verteld blijft onder ons. Zullen we dan nu naar Beek en Overmars gaan?'

Hoofdstuk 27

Verbijsterd staar ik Beek en Overmars aan. Ze hebben net in korte zinnen uitgelegd wat het plan is. Mijn maag is veranderd in een verkrampte bal en ik moet mijn best doen om niet in huilen uit te barsten.

'Snap je het, Claire?' vraagt Beek.

'Ja.'

Beek lijkt te twijfelen aan mijn antwoord. 'Dus als je belt, moet je zo normaal mogelijk doen. Nick mag niks doorhebben, oké?'

'Ja, ja.'

'Dit gesprek is cruciaal,' zegt Willemsen. 'Als het misgaat, zijn we Nick voorgoed kwijt. Ik wil de druk niet nog groter voor je maken, maar alles hangt van jou af.'

Mijn ogen schieten van links naar rechts. Overmars en Beek zitten naast me op de bank. Willemsen staat bij de deur. Mijn vader leunt tegen de muur. En Peter zit in de vensterbank met een grijze map op zijn schoot. Ik ben omsingeld. Er is geen ontsnapping mogelijk.

'Hoorde je wat ik zei, Claire?' vraagt Willemsen.

'Ja.'

'Hm.' Hij klinkt niet erg overtuigd. 'En vergeet niet om

een afspraak met Nick te maken. Het is onze enige kans om hem te pakken.'

Ik knik.

'Zullen we beginnen?' vraagt Willemsen.

Beek en Overmars lopen naar de tafel waar allemaal vreemde apparaten staan opgesteld. Overmars gaat zitten en zet een koptelefoon op. Beek pakt mijn mobiele telefoon uit een tas. Hij duwt zijn bril met zijn vrije hand naar achteren.

'We hebben een microfoontje ingebouwd. Zo kunnen we meeluisteren,' zegt hij. 'Nick merkt daar niks van. En deze zender,' hij klopt op een soort radio, 'vangt het signaal op van de gsm-antenne, zodat we Nicks positie kunnen bepalen. Maar daarvoor moet je hem wel een paar minuten aan de praat houden. Heb je nog vragen?'

Ik probeer te bedenken wat ik allemaal nog zou kunnen vragen, maar ik voel me leeg en zenuwachtig.

'Nee.'

'Prima. Dan is hier je telefoon.'

Onhandig pak ik hem aan.

Beek gaat naast Overmars zitten en zet ook een koptelefoon op. 'Wij zijn er klaar voor. We trekken je er wel doorheen, meid.'

Papa glimlacht. 'Zet 'm op, Claire. Dit kan je.'

Ik haal diep adem en zoek Nicks nummer in mijn telefoon. Mijn handen trillen. Ik kan bijna voelen hoe het bloed door mijn lijf wordt gepompt. Ik druk op de groene knop. De telefoon gaat twee keer over en dan neemt Nick op.

'Hé, Claire, wat goed dat je belt.'

Mijn hart springt bijna uit mijn ribbenkast. 'Eh, j-ja.'

Er valt een stilte. Een kleintje maar. Toch breekt het zweet me aan alle kanten uit.

'Gaat het wel goed met je?' vraagt Nick bezorgd. 'Je klinkt zo vreemd.'

'Het gaat prima. Ik… ik was even afgeleid door een mailtje dat op mijn computer binnenkwam,' lieg ik.

'Gelukkig,' grinnikt hij. 'Ik maakte me al zorgen.'

Zijn stem is nog precies hetzelfde als een dag geleden. Lief, oprecht en geïnteresseerd. Het kost me ontzettend veel moeite om een gevaarlijke psychopaat in hem te horen.

'Wat heb je trouwens gistermiddag na je Blijdorp-avontuur gedaan?' vraagt Nick. 'Ik dacht dat we nog even zouden bellen. Maar je nam niet op.'

Koortsachtig zoeken mijn hersenen naar een antwoord.

'Claire, hallo? Ben je daar nog?' zegt hij.

Ik heb geen idee wat ik moet antwoorden. Dan zie ik opeens Overmars naar zijn hoofd wijzen. Zijn lippen vormen geluidloos het woord: hoofdpijn.

'O, eh, ik had hoofdpijn.' Mijn stem slaat over en ik kuch een paar keer. 'Het was echt afschuwelijk. Misschien heb ik wel migraine,' zeg ik op iets vastere toon.

Overmars steekt zijn duim omhoog.

'Wat shit voor je. Een vriend van me heeft dat ook. Hij is tijdens een aanval echt een paar dagen van de kaart. Gaat het nu weer beter?'

'Mwah, ik ben nog niet helemaal de oude. Ik ben vandaag niet naar school gegaan.'

Ik kijk naar Overmars die nu twee duimen omhoogsteekt.

'Doe inderdaad maar rustig aan,' zegt Nick. 'Luister, het gaat me morgen jammer genoeg niet lukken om nog bij je langs te komen. Het bruidspaar wil opeens dat we het diner ook gaan filmen. Dus ik ben echt de hele dag en avond bezig. En daarna is jouw vriendin er, toch?'

'Ja, jammer. Een volgende keer beter.' Ik had wat anders willen zeggen, maar ik kan de juiste woorden niet vinden. Nu lijkt het net alsof het me niks kan schelen dat ik hem morgen niet zie.

'Je belt als je het morgen niet trekt, hè Claire?'

'Tuurlijk.' Weer zo'n woord dat afstandelijk en verkrampt overkomt.

Willemsen krabbelt iets op een papier. Hij houdt het vel omhoog.

NIEUWE AFSPRAAK!!! lees ik.

'Zullen we… zullen we wat anders afspreken?' vraag ik.

'Nou, nou, jij laat er geen gras over groeien.' Nick lacht. Ik lach zenuwachtig mee.

'Ik moet woensdag weer in Rotterdam werken,' zegt hij. 'We kunnen daarna wat gaan drinken?'

'Dat is goe…'

Willemsen schudt driftig nee. Ik slik de rest van mijn zin in. Zijn pen krast over het papier.

EERDER!!! VANDAAG? houdt hij omhoog.

'Maaruh, weet je…' stamel ik, 'misschien… ik heb nu niks te doen. Ik kan vanmiddag naar je toe komen?'

'O sorry, maar ik moet vanmiddag een film monteren. Het is nogal druk. En dit weekend kan ik niet. Ik kan eigenlijk alleen woensdag.'

Willemsen haalt zijn schouders op.

'Oké, woensdag, leuk,' pers ik er met moeite uit.

'Zullen we om een uurtje of vier afspreken? Dan ben ik klaar met werken.'

Willemsen knikt.

'Ja, ja, dat is goed.'

'Ik werk in de buurt van Café Rotterdam. We kunnen het beste daar wat drinken, denk ik. Ik ben er laatst...'

Nick houdt abrupt op met praten. Het is doodstil aan de andere kant van de lijn. Ik hoor een klikje en een zachte pieptoon. Overmars draait razendsnel aan een knop. Het geluid verdwijnt. Verschrikt kijk ik naar Willemsen. Die haalt zijn schouders op.

'Sorry, ik moest je even in de wacht zetten,' doorbreekt Nick de stilte. Hij grinnikt. 'Niks persoonlijks, hoor, maar er belde een klant op onze vaste lijn. Ik heb beloofd dat ik hem zo terugbel. Ik bel je maandag, oké?'

Ik haal opgelucht adem. 'Is goed.'

'Spreek je snel.'

'Dag.'

Ik hang op met het vreemde gevoel dat ik voor altijd afscheid heb genomen van Nick. Uitgeput leun ik achterover in de bank.

Beek loopt naar me toe. 'Goed gedaan, hoor.'

Ik betwijfel of hij dat meent.

'Er ging wat mis met de apparatuur, een kleine storing. Maar dat kan Nick onmogelijk hebben gehoord. Dat soort geluiden vallen onder de normale achtergrondruis van mobiele telefoons.'

Hij pakt de telefoon uit mijn handen. 'Deze nemen we weer mee naar het bureau.'

'Hebben we hem kunnen traceren?' vraagt Willemsen.

'Nee, het gesprek was te kort,' zegt Beek. 'Het signaal kwam uit Amsterdam-Oost. Hij heeft ergens tussen de Wibautstraat en de Linnaeusstraat staan bellen.'

'Dat is een behoorlijk groot gebied,' zegt Willemsen.

'Sorry, maar ik kan het niet specifieker maken.'

'Hm. En het zit me ook niet lekker dat we pas woensdag een afspraak hebben. Elk uur wordt de kans kleiner dat we die meisjes nog levend vinden.'

Niemand antwoordt.

'Pak de spullen maar in, mannen,' zegt Willemsen. 'We gaan naar Amsterdam.'

Peter klapt de grijze map dicht en legt hem op de vensterbank. Hij kijkt mij aan. 'Moeilijk te geloven dat deze jongen verantwoordelijk is voor de verdwijning van vier meisjes, vind je ook niet?'

Ik voel me betrapt. 'Hu, ja, wel een beetje. Hij klonk zo normaal.'

'Nick is ontzettend doortrapt, Claire. Hij bespeelt je. Blijf dat alsjeblieft voor ogen houden.'

Willemsen bladert door zijn notitieboekje. 'Je moet me nog één ding uitleggen, Claire. Wat bedoelde Nick met zijn opmerking over morgen: en daarna is jouw vriendin er?'

Ik zet me schrap en zeg: 'Zoë komt morgen naar Rotterdam. Ik heb met haar afgesproken.'

Willemsen zucht. 'Dat lijkt me niet verstandig.'

Eigenlijk had ik willen zeggen: jammer dan. Of: dat is jullie probleem. Maar ik stotter: 'W-waarom niet?'

'Omdat je gevaar loopt, Claire. We kunnen je minder goed beschermen als Zoë bij je is. Ik wil liever niet...'

'Het is morgen precies een jaar geleden dat mijn vrouw is overleden,' onderbreekt mijn vader hem. 'Zoë is Claires beste vriendin en een grote steun voor haar. De dames blijven de hele avond thuis.'

Willemsens blik verzacht iets. 'Dat wist ik niet van uw vrouw.' Hij plukt aan zijn snor. 'Tsja, misschien kunnen we voor deze ene keer een uitzondering maken.' Hij kijkt naar Peter.

Die knikt toegeeflijk. 'Het lijkt me niet zo'n probleem. Ik denk dat het goed is voor Claire om haar beste vriendin bij zich te hebben. We moeten alleen de surveillerende agent informeren dat er morgenavond een extra persoon in het appartement is.'

Papa zegt: 'Ik blijf de hele avond bij de meiden.'

'Vooruit,' bromt Willemsen. 'Maar ik wil niet dat Zoë iets over deze zaak te weten komt. Bedenk maar een smoes waarom je thuis moet blijven.'

Mijn vader laat de mannen uit. Ik hoor hun stemmen in de hal. Maandag moet ik naar het bureau in Amstelveen komen om de afspraak met Nick alvast door te nemen. Ik wil niet. Ik wil het echt niet. Alles in mij verkrampt bij het idee dat ik woensdag Nicks lokaas moet spelen. Ik staar voor me uit. In de vensterbank ligt een grijs ding. Het duurt even voordat ik doorheb dat het Peters grijze map is. Er klinken nog steeds stemmen in de hal. Als ik opschiet, kan ik Peter zijn map teruggeven.

Ik spring op en loop naar de vensterbank. Het is een doodnormale grijze ringmap. Maar mijn nieuwsgierigheid is gewekt: op de voorkant staat mijn naam. Ik kijk over mijn schouder. Niemand. Ik sla de map open. Op de eerste pagina staan mijn persoonsgegevens, zoals naam, geboortedatum en adres. Ik blader verder. Mijn gezicht staart me vanaf een foto aan. Ik lach en zie er bruin en gelukkig uit. Ik weet nog wanneer deze foto is genomen: twee jaar geleden tijdens een vakantie in Griekenland. Zou mijn vader dit kiekje aan Peter hebben gegeven? Ik sla de pagina's een voor een om. Het gespreksverslag van gisteren, een uitdraai van mijn telefoonrekeningen, mijn lesrooster, een pin-overzicht, mijn laatste schoolrapport, een printje van mijn Hyves-pagina. Ik huiver. Mijn hele leven zit in deze map.

De laatste bladzijde is handgeschreven. *Profiel Claire* staat bovenaan. Mijn ogen vliegen over de woorden. *Jong, onzeker meisje. Net verhuisd. Geen aansluiting op nieuwe school. Eenzaam. Moeder overleden. Onstabiele gezinssituatie. Beïnvloedbaar. Makkelijk slachtoffer.* Peter heeft het profiel zwierig ondertekend.

Plotseling begrijp ik hoe de politie mij ziet. Als een zielig meisje dat met open ogen in de val is gelopen. Een naïef kind zonder vrienden en moeder, hunkerend naar aandacht. Het lijkt alsof er diep vanbinnen iets wakker wordt. Een stukje van de oude Claire uit Amsterdam. De Claire die wel vriendinnen had, die niet over zich heen liet lopen, die vrolijk en positief was, en die zin had in het leven. Ik was bijna vergeten dat die Claire nog bestond.

Met grote stappen been ik naar de hal. Ik zwaai de deur open.

Het gesprek valt stil. Mijn vader kijkt me verbaasd aan.

'Claire, wat is er?'

'Peter is iets vergeten.' Ik zwaai met de grijze map.

Ik zie Peter schrikken. Waarschijnlijk vraagt hij zich af of ik iets van het profiel heb gelezen. Maar hij herstelt zich snel.

'Wat aardig dat je mijn dossier komt brengen. Dat was ik inderdaad vergeten. Het moet natuurlijk niet in verkeerde handen vallen.' Hij glimlacht.

Voor het eerst ontdek ik ook wat anders in zijn vriendelijke blik: een koele berekenendheid. Deze man vindt mij niet aardig, hij vindt mij alleen een interessant object om te bestuderen. Waarom heb ik dat niet eerder gezien?

'Het moet inderdaad niet in verkeerde handen vallen,' zeg ik. 'Stel je voor.' Ik duw de grijze map in zijn handen en kijk hem strak aan. Peter slaat als eerste zijn ogen neer. Het voelt als een enorme overwinning.

Hoofdstuk 28

Ik word wakker van het licht dat door mijn rolgordijn valt. Ik gaap en rek me uit. Heel even is er niks in mijn hoofd, maar dan komt langzaam het besef welke dag het vandaag is. Het lome gevoel verdwijnt. Ik kijk op de wekker. Het is kwart voor tien. Een jaar geleden reden papa en ik rond deze tijd naar het ziekenhuis. Mijn ogen worden vochtig. Ik slik. Ik zie mezelf weer bij mama's ziekenhuisbed staan. Ik hoor haar moeizame ademhaling en papa's stem die zegt: 'Ze is er niet meer, Claire.' De tranen druipen nu over mijn gezicht. Herinneringen buitelen door mijn hoofd. Mama die opgebaard ligt, koud en stijf. De steen die pap en ik hebben uitgezocht. Het dichtplakken van de rouwkaarten. Mijn oma die instort tijdens de dienst. Snikkend verstop ik me onder mijn dekbed. Ik verwacht dat ik niet meer kan ophouden met huilen, maar verrassend genoeg stoppen de tranen na een tijdje. Zomaar ineens, alsof de kraan wordt dichtgedraaid. Verbaasd ga ik op mijn rug liggen. Met dikke, brandende ogen staar ik naar het plafond. Hoe kan dit? Al die maanden heb ik als een berg tegen deze dag opgezien.

En nu het eenmaal zover is, voel ik me niet eens zo anders dan alle andere dagen.

Ik rol me om en stap uit bed. Op blote voeten loop ik naar de huiskamer. Papa zit in zijn pyjama op de bank aan een mok thee te nippen. Het raam achter hem laat een stukje grauwe lucht zien.

'Dag lieverd,' zegt hij. Zijn ogen zijn rood en waterig.

Ik doe iets wat ik al heel lang niet meer heb gedaan: ik loop naar hem toe en geef hem een zoen. Papa's warme huid tegen de mijne is een fijn gevoel.

'Ik mis haar,' zeg ik zacht terwijl ik naast hem op de bank ga zitten.

'Ik ook.' Er rolt een traan uit zijn ooghoek. 'Ik mis haar nog elke dag.'

Mijn lip begint te trillen. Ik voel iets nats langs mijn wang glijden.

Papa zet zijn mok thee op de grond en slaat een arm om me heen. Ik leg mijn hoofd op zijn schouder. We huilen samen.

'Weet je wat mama nu waarschijnlijk zou zeggen?' fluistert hij. Zijn adem strijkt door mijn haren. 'Ze zou zeggen: jullie moeten niet om me huilen, maar om me lachen.'

Ik moet glimlachen door mijn tranen heen: zoiets had mama inderdaad kunnen zeggen.

Hij geeft een kus op mijn voorhoofd. 'Heb je vannacht goed geslapen? Geen enge dromen over Nick?'

'Ssst,' zeg ik. 'Niet over praten. Deze dag is voor mama.'

'Je bent een lief meisje.' Papa klopt op mijn hand. 'Laten we deze dag dan maar gaan beginnen. Wie gaat er eerst douchen? Jij of ik?'

Rond lunchtijd gaat voor het eerst de telefoon. Het is oma. Ik hoor mijn vader met haar over mama praten. Oma vertelt een verhaal over mama's jeugd, begrijp ik uit mijn vaders antwoorden. Het is geen droevig gesprek. Rond zijn lippen ligt een glimlach. Na tien minuten hangt hij op. Even later rinkelt de telefoon weer. Het is opnieuw iemand die vanwege mama belt. Eigenlijk rinkelt vanaf dat moment de telefoon onophoudelijk. Het lijkt alsof de hele wereld mama's sterfdag in zijn agenda heeft staan. Bij ieder telefoontje zie ik papa verder opfleuren en meer energie krijgen. Tegen een uur of drie wordt er een grote bos bloemen bezorgd. *We zijn in gedachten bij jullie. Je oud-collega's* staat er op het kaartje. 'Tjonge-jonge,' mompelt mijn vader. 'Wat ontzettend dierbaar dat iedereen zo aan mama denkt.'

Als de telefoon aan het eind van de middag weer overgaat, besteed ik er weinig aandacht aan. Ik hang op de bank en blader door een tijdschrift.

Papa neemt op. 'Met Smit.'

Het is even stil en dan hoor ik hem zeggen: 'Ja, ik heb tijd.'

Ik zie aan de frons tussen zijn wenkbrauwen dat hij ingespannen naar de persoon aan de andere kant van de lijn luistert.

'Hmm, ja, ja, duidelijk,' mompelt hij.

Ik ga rechtop zitten. Dit gesprek loopt anders dan alle andere gesprekken van vandaag. Eigenlijk kan ik er geen touw aan vastknopen. Wie is dit? En waar gaat het over?

'Dus dat klopte ook niet?' zegt pap.

Er valt weer een lange stilte waarin hij af en toe knikt.

'Ja, het is moeilijk te geloven. Ik zal het aan haar doorgeven. Ja, u ook een fijn weekend.'

Papa hangt op.

Vragend kijk ik hem aan.

'Dat was Willemsen,' zegt hij.

Ik knik en voel een huivering over mijn rug lopen.

'Een team met rechercheurs heeft de dingen nagetrokken die jij over Nick had opgeschreven.'

De huivering trekt verder naar mijn schouders en nek.

'Het spijt me, maar volgens Willemsen heeft Nick alles gelogen. Het bedrijf Nick & Bas Movie Productions bestaat niet. Het staat in ieder geval niet bij de Kamer van Koophandel ingeschreven. En in Hotel New York is vandaag geen huwelijk. De politie heeft ook je oudklasgenoot Thijmen opgebeld. Die arme jongen schrok zich rot. Hij is nooit door een Nick opgebeld over Xbox-games.'

Papa haalt een hand door zijn haren. 'Momenteel proberen ze nog bij alle voetbalclubs in Amsterdam te checken of daar een Nick voetbalt. En ze trekken alle dodelijke verkeersongevallen van de afgelopen jaren na op zoek naar het fietsongeluk van zijn vader. Maar Willemsen verwacht niet dat daar iets uit komt.'

Ik staar naar mijn handen. *Nick is ontzettend doortrapt, Claire. Hij bespeelt je*, hoor ik Peters stem weer zeggen. *De Nick die jij kent, bestaat niet.*

'Gaat het wel?' vraagt mijn vader bezorgd. 'Het is niet jouw schuld, lieverd, dat er van het lijstje niks klopt. Die jongen is een ziekelijke leugenaar.'

Ik knik en kijk op mijn horloge. 'Moeten we niet een beetje opruimen? Zoë komt zo.'

Hoofdstuk 29

Om halfzes gaat de bel. Ik ren naar de voordeur.

'Ja?' roep ik door de intercom.

'Joehoe, ik ben er.' Zoë's stem komt krakerig door de luidspreker.

'Je bent laat,' zeg ik. 'We hadden om vijf uur afgesproken.'

'Ja, shit, sorry. Ik zat in de verkeerde metro,' ratelt ze. 'Ik was opeens in Delfs-fucking-haven. En ik kon je niet bellen, want jij bent je mobieltje kwijt.'

'Sukkel,' zeg ik lachend. Ik druk op het knopje en wacht met de voordeur open. Zoë komt uit de lift gerend. Ze stormt naar binnen en geeft me drie zoenen.

'De volgende keer neem ik een taxi. De metro stinkt en is vies.'

Ik grijns. 'De volgende keer haal ik je gewoon weer met de fiets op.'

'Dat is je geraden.' Zoë wurmt zich uit haar jas. 'Waar is je fiets nu? Gejat?'

'Zoiets.'

'Balen, zeg.' Ze hangt haar jas aan de kapstok. Ik zie

dat ze een knalroze minirokje draagt en stiletto laklaarzen tot aan haar knie.

'Vind je het mooi? Het is nieuw.' Zoë draait een rondje.

'Het staat je heel goed,' zeg ik naar waarheid.

'Hoe gaat het met je?' Ze werpt me een onderzoekende blik toe.

Ik snap dat ze op mijn moeder doelt. 'Het gaat,' zeg ik. 'Maar ik ben blij dat je er bent.'

Zoë grijnst. 'Mooi zo. Ik ook.'

We geven elkaar een arm en lopen naar de huiskamer.

'Kijk eens wie hier is?' zeg ik tegen pap die op de bank zit.

'Hallo,' zegt Zoë.

Hij staat op van de bank en geeft Zoë een zoen. 'Dat is lang geleden.' Pap doet een stapje naar achteren. 'Je ziet er nog precies hetzelfde uit. Al zijn je kleren misschien, eh, wat anders geworden. Kan je lopen op die laarzen?'

Zoë zucht. 'Nee, eigenlijk niet.' Ze bukt en trekt de rits van haar laars naar beneden. 'Maar ze zijn wel vet kicken, vindt u ook niet?'

Papa schiet in de lach. 'Heel erg vet kicken. Willen jullie wat drinken?'

'Wat heeft u?' vraagt Zoë terwijl ze haar laarzen verder uittrekt.

'Cola Light, Spa Appel, water en…' Pap doet alsof hij diep nadenkt. 'En een fles rode wijn.'

Zoë's ogen beginnen te glinsteren. 'Oef, lastig. Maar omdat u er zo op aandringt, drink ik wel een glaasje wijn mee.'

'Ik ook,' zeg ik.

'De bestelling komt eraan.' Pap knipoogt en loopt naar de keuken.

Zoë gaat met opgevouwen benen op de bank zitten. 'Gaat je vader vanavond nog weg?' vraagt ze. 'Of gaat hij met ons tv-kijken?'

Ik schud mijn hoofd. 'Ja, nee, hij blijft... het is toch wat vreemd... met mama, snap je wel... als mijn vader dan weggaat... ik bedoel...' Ik loop vast en weet niet hoe ik het verder nog moet uitleggen. Ik kan moeilijk zeggen: mijn vader blijft thuis omdat ik door een gek word bedreigd.

'Ook goed.' Zoë lijkt er niet echt mee te zitten. 'Ik ben er voor jou. Als dit is wat je wilt, prima. Gaan we een andere keer wel hard zuipen.'

Pap komt terug met een fles wijn en drie glazen. Hij gaat op de grond zitten.

'Waar zullen we op toosten?' vraagt hij terwijl hij ons een glas geeft.

Ik hoop niet dat hij op mama wil gaan toosten. Dan ga ik zeker huilen.

Opgelucht hoor ik hem zeggen: 'Laten we op de toekomst toosten.'

Mijn vader heft zijn glas. 'Op de toekomst.'

'Op de toekomst,' mompelen Zoë en ik terug.

Ik had gedacht dat papa's aanwezigheid er een saaie avond van zou maken, maar hij maakt grapjes en vertelt ontspannen het ene na het andere verhaal. Hij vertelt over zijn studentenhuis van vroeger. De badkamer was daar zo vies dat er nooit een meisje durfde te douchen. En volgens mijn vader liepen er kakkerlakken door de keuken.

Zoë schiet in de lach en zegt: 'Goh, ben ik even blij dat ik dit jaar ga zakken voor mijn eindexamen. Ik moet er niet aan denken om in zo'n smerig studentenhuis te wonen.'

Ik lach mee. Het is fijn om hier met z'n drieën te zitten. Ik voel me bijna veilig in de kleine, afgeschermde wereld die ons appartement is.

Pap schenkt ons nog wat wijn in. 'Hebben jullie zin in pizza?'

Een halfuur later worden er drie grote pizzadozen bezorgd. We eten op de grond, zonder bestek en met servetjes. Mijn vader heeft een cd van Simon & Garfunkel opgezet. Ik herken het liedje *Bridge Over Troubled Water*. Het wordt wel eens op de radio gedraaid bij Gouwe Ouwe-hits. Ik had altijd gedacht dat papa alleen naar klassieke muziek luisterde.

Pap doet het laatste restje wijn in onze glazen.

Zoë veegt haar mond met haar mouw af. 'Dat was echt lekker.'

Mijn vader vouwt de lege pizzadozen dubbel. 'Gaan jullie maar naar Claires kamer. Ik ruim de boel wel op.'

'Over een halfuurtje begint de halve finale van *X Factor*,' zegt Zoë. 'Die móét ik zien. Ik heb het nu al twee weken gemist.'

'Hm.' Papa kijkt bedenkelijk. '*X Factor* is toch dat afschuwelijke, schreeuwerige liedjesprogramma?'

Zoë grijnst. 'Precies.'

Hij zucht. 'Vooruit. Ik doe mijn oordoppen wel in.'

Ik trek mijn slaapkamerdeur dicht.

Zoë ploft op mijn grote zitkussen en zegt: 'Oké, vertel. Wat is er met je aan de hand?'

'Hoezo?' Ik ga naast haar op het kleed zitten.

'Je ziet er zo... triest uit.'

Ik schuifel wat ongemakkelijk over de grond. 'Nou ja, ik ben natuurlijk heel verdrietig om mijn moeder.'

Ze aarzelt. 'Nee, je ziet er anders triest uit. Het is niet alleen je moeder.'

Ik kijk haar aan. In haar ogen zie ik een oprechte bezorgdheid. Zoë en ik hebben elkaar altijd alles verteld. Zij over het vertrek van haar vader, ik over mijn moeders ziekte. Ik heb opeens geen zin meer om te liegen.

'Kan je een geheim bewaren?' vraag ik.

'Ik ben dol op geheimen. Vertel.'

Heel even weet ik niet hoe ik het moet zeggen. Hoe kan ik in hemelsnaam de afgelopen twee dagen fatsoenlijk samenvatten? Ik haal diep adem: 'Ik word bedreigd door een jongen die al vier meisjes heeft ontvoerd. De politie denkt dat ze dood zijn.'

'Wauw,' zegt Zoë.

'Reageer eens normaal,' snauw ik. 'Het is niet leuk, hoor.'

'Zo bedoelde ik het ook niet. Maar holy shit, je bent de eerste die ik ken met een echte serial killer achter zich aan. Oh my god!'

Ik voel een lachkriebel opkomen achter in mijn keel. Ik kuch. Een gek giecheltje ontsnapt. En dan gieren Zoë en ik het allebei uit. We houden elkaar vast en lachen hard.

'Huil je nu?' vraagt Zoë opeens.

Ik veeg langs mijn wangen. 'Weet niet. Ik denk het wel.'

'Ben je bang?'

'Ja, ik ben heel erg bang dat hij mij ook te pakken krijgt.'

'Wie is het?'

'De politie heeft geen idee.'

Ik vertel Zoë de feiten, beginnend bij de eerste keer dat ik door Nick werd gebeld. Haar ogen worden steeds groter. Als ik vertel dat Anouk van jazzballet en Babette en Britt van school door hem zijn ontvoerd, valt haar mond open.

'Jezus. Ik dacht dat Anouk en Babette van huis waren weggelopen. En Britt had een griepje, zei onze leraar. Dat was dus gelogen.'

Ik knik.

'Shit, wat heftig allemaal. En wie is dat vierde meisje dan?'

'Die ken ik niet. Ze woont in Apeldoorn.'

Zoë kijkt me ernstig aan. 'Het komt goed, Claire. Geloof me, het komt goed.'

'Ik hoop het.'

Er valt een stilte.

'O, dat was ik bijna vergeten.' Zoë graait in haar tas. 'Ik heb nog wat voor je.'

Ik krijg een slordig ingepakt cadeautje. Nieuwsgierig maak ik het open. Het is een lijstje met een foto waarop Zoë, mijn moeder en ik in een omhelzing staan. We lachen en dragen oranje kleren. Het was de laatste Koninginnedag die mama heeft meegemaakt. Een voorbijganger heeft deze foto met Zoë's toestel gemaakt. Ik kan me het moment nog precies herinneren.

'Die vent was niet zo'n goede fotograaf. Maar ik vond het een bijzondere dag.' Ze schokschoudert en ik zie dat ze onzeker is over haar cadeau.

'Ik vind het een fantastische foto, dank je wel.' Ik pak haar hand. 'Ik ben blij dat je mijn vriendin bent.'

Er wordt op mijn slaapkamerdeur geklopt.

'Ja?' zeg ik.

Papa steekt zijn hoofd om de deur. 'De portier belde net. Mijn auto staat blijkbaar in het verkeerde vak geparkeerd. Ik moet hem even verzetten. Blijven jullie hier?'

Ik knik.

Hij lijkt nog niet gerustgesteld. 'Ik ben binnen vijf minuten terug. Lukt dat echt?'

Eigenlijk is het best grappig dat papa niet weet dat ik Zoë alles heb verteld.

'We doen de deur voor niemand open en we gaan ook niet met vreemde mannen mee,' zeg ik met een knipoog.

'O,' stamelt pap verbaasd. 'O, oké dan.'

Zijn hoofd verdwijnt en een paar tellen later valt de voordeur dicht. Ik hoor aan de klikjes dat papa de deur op dubbel slot draait.

Zoë rekt zich uit. 'Ik heb zin in iets lekkers. Hebben jullie wat te snacken?'

'Vast wel. In de keuken. Eerste deur links.'

'Hè, ik ben hier de gast,' zegt ze mopperend.

'Ik zal morgenochtend een ei voor je koken, beloofd.'

Ze steekt haar tong uit en loopt naar de gang.

Ik hoor Zoë in de keuken. Het gerinkel van glazen en het gekraak van een zak chips die wordt opengetrokken.

'Jullie hebben popcorn. Wil je dat ook?' gilt ze.

'Lekker,' roep ik terug. 'Met suiker.'

Ik herken het geluid van de magnetron die open en dicht wordt gedaan. Ik ga liggen op de zitzak en wacht. In gedachten zie ik de maïskorrels openspringen. Ik hoor een sleutel die in het slot wordt gestoken en de voordeur die opengaat. Papa is weer terug.

Zoë loopt door de gang naar de huiskamer. Ze is waarschijnlijk op zoek naar het suikerpotje. Na ongeveer een minuut wordt de tv aangezet. De tune van *X Factor* is onmiskenbaar.

Ik kreun. Kon ze niet even op mij wachten? Ik hijs mezelf omhoog en loop naar de huiskamer.

'Gezellig ben jij,' foeter ik, terwijl ik over de drempel stap. 'Zit je soms met mijn vader alle popcorn op te eten?'

Het laatste wat ik zie is een beeld van *X Factor*. Dan wordt het zwart voor mijn ogen.

Hoofdstuk 30

Het liedje *Nine Million Bicycles* van Katie Melua brengt me bij mijn positieven. Lichtflitsen schieten voor mijn ogen langs, en ik ben vreselijk misselijk. Kon ik het geluid van de tv maar uitzetten. De klanken beuken tegen mijn schedel en maken me nog misselijker. Maar ik kan niks. Ik kan niet eens mijn ogen focussen. Alles is wazig en troebel, alsof ik door een veel te sterke bril kijk. In mijn hoofd komt het donker weer opzetten: een grote golf die van achteren aangestormd komt. Ik wil er zo graag in springen. Weg van de pijn. Weg van de misselijkheid. Maar iets in me zet zich schrap. Het donker rolt voorbij en lost op.

Een zure smaak komt omhoog. Ik slik. Mijn maag balt zich samen. Ik kan het niet meer tegenhouden. Ik moet overgeven, steeds weer opnieuw, totdat ik er bijna in stik. Het braaksel zit overal. Op mijn broek, in mijn haren, rond mijn lippen. Ik ga rechtop zitten. Ik zit op een stoel. Dat is gek. Waarom zit ik op een stoel? Ik liep naar de huiskamer, dat weet ik nog. Er was iets met popcorn. O ja, Zoë was popcorn aan het maken. Maar waar is ze nu? Een gevoel van onheil nestelt zich in mijn gedachten. Maar het lukt me niet om alles op een rijtje te krijgen.

Ik probeer het beeld voor mijn ogen scherp te krijgen. Contouren. Contouren van de bank. De tafel. Heel langzaam worden de details in het plaatje duidelijk. Een vaas, het kleed en... Zoë op de grond! Het duurt vreemd lang voordat ik echt besef wat ik zie. Zoë ligt bewegingloos op de grond. Er stroomt bloed uit een grote wond op haar voorhoofd. Een been ligt in een onnatuurlijke hoek onder haar lichaam gevouwen. Gelukkig beweegt haar borstkas op en neer, anders had ik gedacht dat ze dood was.

Ik wil opstaan en naar haar toe gaan. Maar het lukt niet. Ik merk nu pas dat mijn handen achter mijn rug zijn vastgebonden. Angst bijt zich vast in mijn borst. Ik kan niet meer ademen. Als een vis op het droge hap ik naar adem. Dit is niet goed. Dit is helemaal niet goed zelfs. Plotseling kan ik me alles weer herinneren. *Nick!* Piepend zuig ik een teug lucht in mijn longen. *Nick is hier!* Er beweegt iets achter me. Iemand die in mijn richting loopt. Nee, alsjeblieft, nee, alsjeblieft, smeekt een stem vanbinnen. De voetstappen zijn nu naast me. Ik durf niet te kijken. En dan een stem.

'Dag, Claire.'

Zijn stem klinkt hard en kil, heel anders dan ik me herinner, maar hij is het zonder twijfel.

'Ga je me nog aankijken, of hoe zit het?'

Ik verzamel al mijn moed en doe mijn ogen open. Voor me staat een jongen met halflang, donker haar. Er ligt een vettige glans over. Hij draagt legerkistjes, een camouflagebroek en een zwart T-shirt. Zijn ogen zijn felgroen en liggen diep in de kassen.

'Misschien heb ik je wat hard geslagen, maar zij,' hij wijst naar Zoë, 'zij ging pas na drie keer neer. Jezus, wat een taaie trut, zeg.' Hij grinnikt. Ik zie een tongpiercing in zijn mond glinsteren.

'Nou, kunnen we nog wat terugzeggen?' vraagt hij.

'Aan de telefoon ratelde je aan één stuk door. En nu zit je me verdomme als een bang hert aan te staren.'

Ik begrijp dat ik iets moet zeggen.

'H-hallo, N-n-nick.' Het is niet meer dan een onverstaanbaar gemompel.

'Nick bestaat niet meer. Noem me voortaan maar Luuk.'

Luuk. Er is iets met die naam. Ik probeer erachter te komen, maar er hangt een dikke mist in mijn hoofd die alles bedekt. *Ik wil niet dood, ik wil niet dood, ik wil niet dood.* Dat is het enige wat ik kan denken.

Luuk praat door. Ik dwing mezelf te luisteren. 'Van alle meisjes was jij mijn favoriet.'

Hij komt dichterbij. Ik kan hem nu ruiken. Een sterke aftershavegeur.

'Jij en ik hadden een speciale band,' mompelt hij. 'Alle andere meisjes waren ook verliefd op me. Maar jij klampte je echt aan me vast, als een kind dat bang is om alleen te worden gelaten.'

Luuk strijkt met een vinger langs mijn wang. Zijn vingertop blijft op mijn lip rusten. Ik huiver en voel een diepe, misselijkmakende afkeer.

'Het is jammer dat we niet meer tijd hebben om elkaar wat beter te leren kennen.' Hij likt langs zijn mond. 'Maar ik moet opschieten. Straks wordt je vader door iemand gevonden.'

Er ontploft een bom in mijn binnenste. Papa! Ik ben

papa helemaal vergeten! Hij ging zijn auto verzetten, en toen, en toen... O hemel, o hemel, o hemel, nee, néééééé!

'W-wat heb je met hem gedaan?' Een snik welt op in mijn keel.

'Kan meneer Smit naar beneden komen?' Luuk praat nu als een caissière die iets omroept bij de supermarkt. 'Meneer Smits auto staat verkeerd geparkeerd. O meneer Smit, heeft u pijn? Het spijt me dat ik u zo hard heb geslagen.'

Hij gooit zijn hoofd naar achteren en lacht. 'Het was zo makkelijk. Het uitzendbureau staat te springen om mensen die in het weekend een avondje bij jullie als portier willen werken. Ik hoefde ze gisteren alleen te bellen en alles was geregeld.'

Ik zit hem als verlamd aan te staren. Dit is een monster dat voor me staat. Dit is de psychopaat waar Peter het altijd over had.

'Arme Claire,' zegt Luuk. 'Nu heb je én geen moeder én geen vader meer.'

'Nee,' hijg ik.

'Je vader smeekte voor zijn leven, het was bijna zielig.'

'Nee,' zeg ik iets harder.

'Het laatste wat hij zei, was: "Laat Claire alsjeblieft gaan."'

'Neeeee,' gil ik nu. 'Neeeee!'

Luuk slaat me met zijn vlakke hand. Mijn kaak klapt tegen de leuning van de stoel. Pijn. Nog meer pijn.

'Bek houden, trut, straks hoort iemand je.' Hij zet de tv met de afstandsbediening harder. Een kandidaat probeert Justin Timerlake na te doen.

Verdwaasd staar ik Luuk aan. Ik wil mijn hoofd laten

hangen en huilen. Huilen om mijn vader, huilen om Zoë, huilen om mijn moeder, huilen om mezelf. Maar ik mag niet wegglijden in mijn verdriet als ik dit wil overleven. Als ik Zoë een kans wil geven om dit te overleven. Ik recht mijn rug en haal heel diep adem.

'Luuk.' Mijn stem klinkt hoog en zwak. Papa's gezicht dringt mijn geest binnen. Ik duw hem weg. Het moet.

'Luuk,' zeg ik met meer kracht, 'je kan nog terug. Maak me los, dan bellen we samen de politie. Ik zal je helpen door een goed woordje voor je te doen. Of ga ervandoor en laat Zoë en mij hier achter. De politie vindt je toch niet.'

Hij kijkt me met een kille blik aan.

'Er staat buiten een politieagent,' ga ik wanhopig verder. 'Hij heeft vast snel door dat er iets niet klopt. Dan word je gepakt. Vlucht nu het nog kan.'

'Je bedoelt die dikke agent die in zijn auto een hamburger aan het eten was?' zegt Nick op een sluwe toon. 'Die ligt lekker te slapen. Waarschijnlijk heeft hij morgen behoorlijk wat hoofdpijn.'

Het kleine beetje hoop dat ik had, verdwijnt in één klap. Tranen schieten in mijn ogen. Ik bijt op mijn lip. Ik mag niet huilen, niet nu.

Hij zucht. 'Nee, Claire, ik heb andere plannen. Misschien had ik naar je willen luisteren als je niet zo stout was geweest.'

'Stout?' herhaal ik met een hol gevoel.

'Ja, stout. Waarom heb je de politie erbij gehaald?'

Ik zwijg en staar naar mijn benen. Stukjes braaksel kleven aan mijn broek.

'Dacht je dat ik het niet doorhad?' bijt hij me toe. 'Je deed gisteren zo vreemd aan de telefoon. Afwezig, bijna afstandelijk. Er moest iets aan de hand zijn, dat kon niet anders. Ik heb je even in de wacht gezet en getest of ik werd afgeluisterd. Toen het signaal begon te storen, wist ik het zeker.'

Het klikje en de zachte pieptoon. Overmars die aan een knop draaide en Beek die verzekerde dat er niks aan de hand was. Niet dus. 'H-hoe?' stamel ik.

'Gewoon met een apparaatje dat je op internet kunt kopen. Je moet nooit je leven in handen van de politie leggen. Het zijn allemaal domme rukkers. Zal ik je eens wat vertellen?' Luuk buigt zich naar me toe. Zijn gezicht is nu zo dichtbij dat ik de poriën op zijn neus kan zien. 'Eigenlijk wilde ik nog wat langer lol met je maken. Maar jouw bemoeizucht heeft alles in de war gegooid.' Hij spuugt de woorden uit. Ik voel kleine druppeltjes speeksel op mijn gezicht belanden.

Luuk legt zijn hand om mijn hals. Zijn vingers drukken zachtjes in mijn luchtpijp. Mijn mond wordt droog.

'Gelukkig had je me alles wat ik moest weten aan de telefoon verteld. Vanavond zou je met papa dvd's kijken want je arme mama was een jaar geleden de pijp uitgegaan.' De druk van zijn vingers wordt groter. Ik haal gejaagd adem.

'Je hebt me heel goed geholpen door Zoë hier uit te nodigen. Brave Claire. Zonder Zoë was het plan namelijk mislukt.'

Hij knijpt hard. Ik voel zijn nagels in mijn vel boren. Ik kokhals. Dan laat hij los. Hij doet een paar stappen bij me vandaan.

Ik probeer mijn ademhaling onder controle te krijgen. 'Ik snap het niet,' fluister ik. 'Wat heeft Zoë hiermee te maken?'

'Die slet,' hij wijst naar Zoë. 'Die slet is voor alles verantwoordelijk.'

Het lijkt net of Zoë gestopt is met ademhalen. Ze ligt volkomen roerloos op de grond. Ik wend mijn blik af.

'V-voor wat is ze dan verantwoordelijk?'

Er trilt een spiertje in zijn wang. Het duurt even voordat hij zegt: 'Zoë is mijn meisje geweest.'

Hoofdstuk 31

Vol ongeloof staar ik hem aan. Luuk en Zoë hebben samen wat gehad? De mist begint langzaam in mijn hoofd op te trekken. Luuk, Luuk, Luuk… Plotseling weet ik het weer. Zoë heeft inderdaad met een Luuk gezoend, ze heeft het me zelf verteld. Hij was die jongen die antikraak woonde. Met een tongpiercing. Hij wilde haar een blauw oog slaan toen ze het uitmaakte, als ik het me goed herinner. Volgens mij is hij haar laatste vriendje geweest. Maar ik heb nooit zo goed naar haar verhalen geluisterd. Voor mij was Luuk een van de vele jongens met wie ze had gezoend.

'Maar, maar…' is het enige wat ik kan uitbrengen.

Luuk sluit een moment zijn ogen. 'Ik heb Zoë anderhalve maand geleden in een coffeeshop ontmoet. Ze kwam samen met een vriendin binnen. Ik zat aan de bar en was hartstikke stoned. Ze vroeg of ik wist wat het verschil was tussen wiet en hasj. Waarschijnlijk was ze nog nooit in een coffeeshop geweest. Normaal zou ik haar genegeerd hebben. Ik ben niet zo op zoek naar contact. Maar ze had wat. Onder dat populaire, schreeuwerige laagje zat iets verdrietigs. Dat fascineerde me.

Ik heb haar goed spul aangeraden en we raakten aan de praat. Na een uurtje ging haar vriendin weg, die voelde zich een beetje buitengesloten. Zoë begon me op te geilen. Ik heb gevraagd of ze meeging naar mijn huis en van het een kwam het ander.'

Zijn blik verzacht. Ik zie een andere Luuk. Hij heeft Zoë echt leuk gevonden!

'We hebben een maandje wat gehad. Ze kwam vaak na school bij me thuis. Bij mij was toch niemand. We lagen dan in bed joints te roken. Vier weken geleden stond ze ineens onverwacht op de stoep. Ze wilde niet binnenkomen. Ik begreep er niks van.' Luuk staart afwezig in de verte. Als hij me weer aankijkt is zijn blik bikkelhard geworden. 'Zoë heeft het daar, op de stoep, uitgemaakt. Zomaar, zonder enige uitleg, in een paar minuten tijd. Ze wilde daarna gewoon weglopen. Ik heb haar bij haar arm vastgepakt. Weet je wat ze zei? "Laat me los, eikel." Toen ik dat niet deed, werd ze link. "Denk je dat ik ooit iets om je heb gegeven?" vroeg ze. "In your dreams. Het was best lachen om met je te blowen. Maar ik val niet op jongens zonder vrienden. Bye, bye, domme loser. Schrijf je maar in op een datingsite. Wie weet vind je daar nog wat vrienden."'

Luuks pupillen vernauwen zich en zijn ademhaling gaat gejaagd. 'Godverdomme wat was ik pissig. Dat wijf had me helemaal de grond ingetrapt. En het deed haar geen reet. Ik wilde haar een klap in haar zelfvoldane smoel geven. Jammer genoeg dook ze weg. Als het kon had ik haar toen naar binnen getrokken en van kant gemaakt. Maar er liepen allemaal voorbijgangers.'

Bye, bye, domme loser. Schrijf je maar in op een datingsite.

Ik hoor het Zoë bijna zeggen. Ergens schaam ik me ervoor.

'Ik heb haar laten gaan. Ze liep weg zonder nog één keer om te kijken, de arrogante trut,' vervolgt Luuk. 'De dagen daarna ontstond er heel langzaam een idee in mijn hoofd. Ik zou haar kapot gaan maken. Stukje voor stukje zou ik haar perfecte leventje afbreken, totdat er niks meer van over was. Ze moest voelen hoe het is om moederziel alleen over te blijven. Dat zou haar leren. Ze had me nooit zomaar uit haar leven mogen schrappen. Niet op deze manier.'

Er ligt een vreemde schittering in zijn ogen. 'Ik wist meteen hoe ik het ging doen. Ik zou Zoë's vriendinnen van haar gaan afpakken. Eén voor één. Totdat ze niemand meer over had. En dan zou zij zelf aan de beurt zijn, als allerlaatste. Ze zou me smeken om genade. Maar denk maar niet dat ik naar haar gejammer ga luisteren. Ik trap haar helemaal de grond in, steeds verder en verder, als een smerig insect. Want dat is ze.'

Mijn oren zoemen. Mijn hoofd bonkt. Ik moet mijn best doen om mezelf niet in blinde paniek te verliezen. Nadenken. Rustig blijven. Hem aan de praat houden. Dat is het enige wat Zoë en mij kan helpen.

'Maar… maar… Babette, Britt, Amber en Anouk zijn haar vriendinnen helemaal niet,' zeg ik schor. 'Waarom…'

Zijn hand raakt mijn wang met volle kracht. De tranen springen in mijn ogen.

'Je liegt,' bitst hij. 'Het zijn haar vriendinnen wél. Denk je soms dat ik me niet goed heb voorbereid? Dat ik dom ben? Een suf lulletje? Je bent net zo erg als Zoë. Jullie zijn een stelletje kutwijven.'

Ik durf niks meer te zeggen.

'Ik heb Zoë's mobieltje een paar weken geleden gejat uit de meisjeskleedkamer op school,' zegt Luuk op een zelfvoldane toon. 'Al haar vriendinnetjes stonden in dat roze ding. Ik ben gewoon bij de eerste begonnen.'

Zoë's mobieltje? Amber, Babette, Anouk en Britt in Zoë's mobieltje? Ik snap het niet.

'Trouwens, dat gezeik over haar vriendinnen maakt nu toch niet meer uit,' zegt hij. 'De plannen zijn sinds gisteren veranderd. Nu de politie op mijn nek zit, moet ik helaas stoppen met de rest van haar vriendinnen. Ik moet het hier afmaken. Zoë gaat vanavond dood. En jij ook.'

Zijn gezicht staat koud en boosaardig. Bezeten.

Eén moment valt alles in mijn lichaam stil. Ik voel niks meer. Ik denk niks meer. Ik hoor niks meer. Maar dan explodeert de betekenis van zijn woorden. *Jij gaat dood.*

Mijn benen beginnen te trillen en mijn handen worden klam. Ik hoor mezelf huilen. Smeken. Om hulp roepen. Luuk luistert niet en haalt een injectienaald uit zijn zak.

'Jij bent als eerste aan de beurt. Het is jammer dat ik niet met twee meisjes onder mijn armen uit de flat kan lopen. Ik had jullie graag mee naar mijn huis genomen, maar het is nu eenmaal niet anders.'

Hij tikt met zijn vinger tegen het spuitje. 'Ik heb dit bij de dierenarts tegenover mijn huis gejat. Ze laten hier honden mee inslapen. Dit middel zorgt ervoor dat de hartspier, ademhalingsspieren en hersenfunctie stil worden gelegd. En dan is het over, klaar en uit met Claire.'

Warm vocht stroomt langs mijn benen. Ik plas als een baby in mijn broek.

'Wees niet bang. Je voelt er niks van. Tenminste, ik heb nog nooit een hond horen klagen.' Hij grinnikt. 'O ja, Claire, mocht er leven na de dood zijn, ga dan niet bij mij spoken. Je hebt dit allemaal aan je vriendin Zoë te danken.'

Luuk komt naar me toe. Ik ruk aan de touwen waarmee mijn handen zijn vastgebonden, maar ze zitten muurvast. Ik duw mijn stoel met mijn voeten over de vloer, maar Luuk loopt veel sneller. Opeens zie ik wat achter hem bewegen. Als een geest komt Zoë omhoog. Haar haren zijn rood van het bloed. Ze heeft pijn, heel veel pijn zelfs, zie ik aan de verbeten trek rond haar mond. Maar ze is bij bewustzijn en ze loopt naar ons toe. Hoop stroomt mijn lichaam binnen, tot in de verste uithoeken. We hebben nog een kans!

Waarschijnlijk ziet Luuk de verandering in mijn ogen. Of misschien hoort hij wat. In ieder geval draait hij heel langzaam zijn hoofd in de richting van Zoë.

Mijn hersenen gaan razendsnel. Ik moet iets zeggen. Iets. Iets. Iets. Als het hem maar afleidt.

'Ik hou van je,' zeg ik.

Hij draait zijn gezicht met een ruk naar me terug. 'Je bent gestoord.'

Ik glimlach. Ik ben opeens niet bang meer. 'Ik hou echt van je. Ik wilde je zo graag ontmoeten. Jij was de enige die me ooit heeft begrepen. Weet je dat wel?'

Luuk kijkt achterdochtig. 'Ik laat je heus niet gaan, hoor, wat je ook zegt.'

Zoë komt dichterbij. Nog maar een paar stappen.

'Wil je me zoenen? Een laatste kus voordat ik doodga? Alsjeblieft?'

'Wat? Een zoen? Doe eens normaal.'

Met een oerschreeuw werpt Zoë zich op Luuk. 'God-verdomme, klootzak.'

Ze ramt met volle kracht een vaas op zijn schedel. Er kraakt iets. De vaas breekt in tientallen scherven.

Luuk brult. Zijn lichaam slaat dubbel en hij valt op de grond. Jammerend verbergt hij zijn gezicht in zijn handen. Bloed sijpelt tussen zijn vingers door.

Zoë zakt door haar knieën. Ze ramt met haar vuisten op zijn borst. 'Hoe kan je? Hoe kan je?' krijst ze.

'Zoë, alsjeblieft, sta op,' zeg ik.

Ze kijkt me aan alsof ze me voor het eerst ziet. 'Wat? Opstaan?'

'Ja. Sta op en bel het alarmnummer. Luuk blijft niet uren liggen.'

Ze laat haar hoofd hangen. Alle kracht lijkt uit haar te zijn verdwenen.

'Op het bijzettafeltje naast de bank staat de telefoon. Je moet het nu doen,' zeg ik zo dwingend mogelijk.

Zoë knikt en begint naar de telefoon te kruipen. Het gaat tergend langzaam. Haar gewonde been sleept over de vloer. Ze kreunt. Ik weet niet of ze het gaat halen. Ze moet het halen. Anders zijn we er geweest.

Ik hou Luuk angstvallig in de gaten. Hij ligt nog steeds kermend op de grond.

Zoë heeft het bijzettafeltje bereikt. De telefoon ligt in haar handen. Maar ze lijkt het niet te snappen. Afwezig staart ze in de verte. Haar gezicht is lijkwit.

'Alsjeblieft, niet flauwvallen,' smeek ik. 'Bel 112. Doe het voor mij. Doe het voor ons.'

Er komt een vonkje leven terug in haar blik. Met een trillende vinger toetst ze het nummer in.

Ik kan wel huilen van opluchting als ik Zoë hoor zeggen: 'Help. Help, alstublieft. Dit is een noodgeval. Hij wil ons vermoorden.'

Ze laat de hoorn uit haar handen vallen en zakt ineen.

Hoofdstuk 32

Het zijn de langste minuten van mijn leven. Ik weet dat als Luuk opstaat, Zoë en ik het kunnen vergeten. Ik staar naar een punt op de grond. Luuks gekerm klinkt afschuwelijk. Daardoorheen hoor ik de snelle, raspende ademhaling van Zoë. Soms stopt ze even met ademen. Ik heb nog nooit gebeden. Maar ik bid nu elke seconde dat de politie op tijd komt. Stel je voor dat Zoë het niet redt! *En stel je voor dat er helemaal geen politie komt*, zegt een ander stemmetje in mijn hoofd. Zoë heeft tenslotte geen adres doorgegeven. Ik wieg mijn bovenlichaam zachtjes heen en weer. Ik ben zo moe. En ik heb het zo koud.

Met een luide knal vliegt de deur open. 'Politie. Geen beweging.'

Mannen in zwarte broeken en shirts komen het appartement binnen. Ze hebben een pistool in hun handen. In schiethouding lopen ze door de huiskamer. Gordijnen worden weggetrokken, kastdeuren geopend. Een van de mannen roept: 'Het is veilig hier.' Uit de hal komen nog meer agenten. Ze rennen naar Luuk. En naar Zoë.

Ik zit als verlamd toe te kijken. Een vrouw met een blonde paardenstaart komt naar mij toe gelopen.

'Och, meisje,' zegt ze. 'Ik maak je los.'

Ze rommelt achter mijn rug en opeens kan ik mijn armen weer bewegen.

'Dat is beter, hè? Tjonge, wat zat dat touw strak.'

De vrouw gaat op haar hurken voor me zitten. Ze pakt mijn handen en wrijft over mijn polsen. Mijn vingers beginnen te tintelen.

'Heeft iemand een natte doek?' roept ze over haar schouder.

'Ik ga er één voor je halen,' zegt een agent die richting de keuken loopt.

Ze kijkt mij weer aan. 'Mijn naam is Mirjam Davelaar. Hoe heet jij?'

'C-claire.'

'Oké, Claire. Je hoeft niet meer bang te zijn. Het is voorbij. Wij zijn bij je. Wie heeft 112 gebeld?'

'M-mijn vriendin. D-die daar op de grond ligt.'

Mirjam kijkt naar Zoë. Ik zie haar schrikken. Maar ze klinkt rustig als ze zegt: 'Wat goed van haar.'

Er komen vier ambulancebroeders de huiskamer in gerend. Brancards worden op de grond gelegd.

Iemand roept: 'Dit meisje is er ernstig aan toe.'

Ruggen schuiven voor Zoë. Ik zie niks meer. Ik hoor een broeder zeggen: 'Haar pols is te zwak. We moeten nu naar het ziekenhuis.'

De wielen van een brancard worden uitgeklapt.

'Je vriendin is in goede handen. Kijk maar naar mij.' Ik voel een natte doek op mijn wangen. Voorzichtig veegt Mirjam mijn gezicht en broek schoon. De zure lucht van mijn braaksel verdwijnt niet.

Ik hoor snelle voetstappen. Het geratel van een brancard die weg wordt gereden. In gedachten hou ik Zoë's hand vast.

'Wat is er gebeurd? Kan je me dat vertellen?' Mirjams blauwe ogen staan bezorgd.

Ik begin te huilen. De tranen glijden over mijn wangen, druppen in mijn mond.

'Hij, hij, hij...' snik ik, terwijl ik naar Luuk wijs. 'Hij wilde ons vermoorden.'

'Victor,' roept ze op scherpe toon. Een agent bij Luuk kijkt op.

'Die jongen moet onder politiebewaking naar het ziekenhuis. Doe hem handboeien om. Hij is gevaarlijk.'

Tegen mij zegt ze: 'Jij gaat zo ook naar het ziekenhuis. Je hebt een enorme bult op je hoofd.'

'Nee,' zeg ik schril. 'Dat kan niet. Ik moet naar mijn vader.'

Ze kijkt me niet-begrijpend aan.

'Mijn vader. Hij is dood,' schreeuw ik nu.

'Dood?' Ze knijpt haar ogen samen. 'Waar is hij?'

Er komt een jammerend geluid uit mijn keel.

'Claire, kalmeer. Waar is je vader?'

'Beneden,' snik ik. 'Beneden in de parkeergarage.' Tranen en speeksel druipen langs mijn kin.

Mirjam gaat staan. 'Twee man naar de parkeergarage. Mogelijk plaats delict.'

Ze slaat haar armen om mijn schouders. 'Ssst, stil maar.'

Als een lappenpop hang ik tegen haar aan. Af en toe maakt ze een sussend geluidje.

Na een paar minuten klinken er geruis en een stem. Mirjam pak haar portofoon van haar broekriem.

'Ja?' vraagt ze.

'We hebben een man in de parkeergarage gevonden,'
zegt de stem krakerig.
'Wacht even,' antwoordt ze.
Mirjam fluistert in mijn oor. 'Ik ben zo terug. Niet weg-
lopen.'
Met grote stappen loopt ze naar het halletje.
Ik zie haar in de portofoon praten, maar ik kan het niet
verstaan. Ik doe mijn ogen dicht. Ik wil het medelijden
in haar blik niet zien als ze me komt vertellen dat mijn
vader dood is.
'Hier ben ik weer,' hoor ik haar stem na een tijdje zeg-
gen. Ze legt een hand op mijn arm. 'Ze hebben je vader
gevonden.'
Ik mompel iets onverstaanbaars.
'Claire, kijk me aan.'
Ik ben te moe om te weigeren en doe mijn ogen open.
Mirjam glimlacht. Ik snap het niet.
'Hij lag bewusteloos in zijn auto, maar verder man-
keert hij niks,' zegt ze.
'E-echt waar?'
'Echt waar.'
Ik begin te trillen van opluchting. 'Mag ik naar hem
toe? Alsjeblieft?'
Eén ogenblik denk ik dat ze gaat weigeren, maar dan
zegt ze: 'Oké. Steun maar op mij.'
Voorzichtig ga ik staan. Mijn benen zijn stram en pijn-
lijk. Ik hou Mirjams arm nog wat steviger vast.
Langzaam lopen we naar de deur.
'Ik kreeg net een berichtje van onze collega's uit Am-
sterdam,' zegt ze. 'Willemsen komt hierheen. Die schijn
je te kennen?'
'Ja.'

Ze knikt. Gelukkig stelt ze verder geen vragen.

Opeens schiet er wat door mijn hoofd. 'Buiten... Buiten...' stamel ik. 'Een agent. In een auto. Luuk heeft hem geslagen.'

'Maak je geen zorgen,' zegt Mirjam glimlachend. 'Die man hebben we gevonden. Hij is naar het ziekenhuis, maar zijn verwondingen zijn niet ernstig.'

Ze houdt de deur voor me open. Ik kijk achterom. Twee broeders tillen Luuk op een brancard. Er is een verband om zijn hoofd gewikkeld. Hij krijst als een klein kind. Ik huiver.

'Hij krijgt zijn verdiende straf, daar hoef je niet bang voor te zijn,' zegt Mirjam. 'Zullen we naar je vader gaan?'

'Ja.'

Ik stap over de drempel. Mirjam trekt de deur achter me dicht. Luuk verdwijnt. Ik haal diep adem. Het voelt alsof de lucht aan deze kant van de deur veel frisser en schoner is.

Hoofdstuk 33

Ik veeg met mijn hand een druppeltje zweet van mijn voorhoofd. Het is buiten drukkend warm en klam, net alsof ik in een sauna aan het werk ben. Zelfs de aarde voelt lauw aan tussen mijn vingers. Ik hoorde vanochtend op de radio dat dit de eerste hittegolf in mei is van deze eeuw. Gelukkig is er voor vanavond onweer voorspeld en gaat het afkoelen. Maar zover is het nog niet. Ik moet dit eerst afmaken. Ik heb twee rijen met gaatjes in de grond gemaakt. Voorzichtig haal ik de plantjes uit de plastic potten. Een voor een zet ik ze in de gaten. Ik duw de aarde rond om de plantjes stevig aan. Alle blaadjes, takjes en stukjes onkruid die ik tegenkom, stop ik in een plastic zak. Als laatste leg ik wit grind tussen de plantjes. Met mijn vingers hark ik de witte steentjes naar alle hoeken.

Ik ga staan en klop de modder van mijn knieën. Tevreden bekijk ik het resultaat. Het lijkt net of mama's graf bedekt wordt door een deken van lichtblauwe bloemetjes.

'Nou, nou, wat een vlijt,' zegt papa glimlachend. Hij staat op van het bankje waar hij de krant heeft gelezen. Ik loop naar hem toe.

Pap geeft me een kus op mijn haren. 'Mama zou de bloemetjes vast mooi hebben gevonden. Ik vind het er in ieder geval prachtig uitzien.'

'Het zijn vergeet-mij-nietjes,' zeg ik.

Hij lacht. 'Niemand gaat jou ooit vergeten, lieverd. Daar hoef je niet bang voor te zijn.'

We haken onze armen in elkaar en lopen in de richting van het hoofdpad. De plastic zak met afval gooien we in een vuilnisbak. Een briesje blaast kleine, witte bloemblaadjes van een boom. Ze dwarrelen als sneeuwvlokjes naar beneden en vallen op de graven. Overal staan bloemen en struiken in de bloei. In de verte hoor ik stemmen van andere bezoekers. Het geluid drijft weg in het getjirp en gekwetter van de vogels. Ik haal diep adem en ruik het pas gemaaide gras. Eigenlijk is het hier best mooi.

'Hé, wacht op mij.' Zoë komt van het pad rechts aangelopen. Ze hinkt nog steeds een beetje. 'Waren jullie soms van plan om zonder mij weg te gaan?' vraagt ze.

'Nee, natuurlijk niet, gekkie,' zeg ik. 'We hadden anders hier op je gewacht totdat je klaar was. Hoe was het?'

'Ik heb een kaarsje aangestoken,' zegt Zoë. Haar ogen staan ernstig. 'En ik heb een vaas met bloemen neergezet. Denk je dat Babette pioenrozen mooi had gevonden?'

'Vast wel,' zegt mijn vader en hij glimlacht naar haar.

'Ik hoop het.'

Zoë zucht en steekt een sigaret op. Haar lok valt precies over het litteken op haar voorhoofd. Er waren twaalf hechtingen nodig om de wond te hechten. Luuk heeft haar meerdere keren geslagen met het ijzeren uiteinde van een golfclub. Volgens de arts heeft Zoë heel veel geluk gehad met een hoofdwond en een verbrijzelde knie. Het had veel erger kunnen aflopen. Luuk heeft mij maar één keer geslagen. Ik ben meteen knock-out gegaan.

'Shit, rustig hier,' huivert Zoë. 'Niks voor mij zo'n begraafplaats. Ik wil later in een park begraven worden, op een plek waar veel mensen komen. Dat lijkt me veel gezelliger.'

Ik grijns. 'We zullen een plekje in het Vondelpark voor je reserveren.'

Ze haakt haar arm in mijn vrije arm. 'Ik wil volgende week weer nieuwe bloemen neerzetten. Ga je dan met me mee?'

'Natuurlijk.'

Zoë voelt zich nog steeds schuldig over Babettes dood. Eigenlijk voelt ze zich schuldig over alles, maar de andere drie meisjes leven gelukkig nog. De politie heeft ze gevonden in de kelder van Luuks kraakpand in Amsterdam-Oost. Amber, Britt en Anouk zaten met handboeien vastgeklonken aan grote, ijzeren ringen in de muur. Het moet vreselijk zijn geweest. In de kelder was geen licht en ze kregen alleen water. Ze waren uitgehongerd en ernstig verzwakt. Soms word ik 's nachts zwetend wakker van het idee dat ik ook in die kelder had kunnen zitten. Of dood had kunnen zijn net als Babette.

Babettes verhaal is afschuwelijk. Luuk wilde haar, net als de andere meiden, verdoven met een narcosemiddel dat hij bij de dierenarts had gejat. Maar omdat zijn spuit niet werkte, heeft hij haar te lang onder water gehouden en is ze in bad verdronken. Hij heeft Babettes lichaam mee naar huis genomen en in een van de lege kamers van zijn kraakpand gelegd. Toen de politie haar vond, was ze al in verre staat van ontbinding.

Jammer genoeg heeft niemand van de direct omwonenden ooit iets gemerkt. Luuk rolde de meisjes in een kleed en bracht ze met zijn bakfiets naar huis. Zijn hoogbejaarde buurvrouw heeft hem wel eens met een kleed zien sjouwen, maar ze dacht dat hij zijn huis opnieuw aan het inrichten was.

Ik heb Zoë honderden keren verteld dat Babettes dood niet haar schuld is. Hoe had ze ooit kunnen weten wat Luuk van plan was? Geen enkele normale jongen die gedumpt wordt, reageert zo. Ook niet als hij behoorlijk bot aan de kant wordt gezet. Maar Zoë blijft zich maar afvragen of Luuk anders had gereageerd als ze aardiger tegen hem was geweest. Zoë is een maandje geleden bij Amber, Britt en Anouk thuis geweest om over alles te praten. Ze heeft ook Babettes ouders gesproken. Niemand neemt haar iets kwalijk. En ik ook niet. Ik hoop dat het schuldgevoel voor Zoë ooit gaat slijten.

Ik schop tegen een steentje op het pad. Het stuitert weg en verdwijnt in het gras. De grootste schok voor mij is nog steeds hoe Luuk Zoë's vriendinnen heeft uitgezocht: met haar roze Samsung die ze dacht kwijt te zijn. Luuk is begonnen bij het eerste contact in haar telefoon, Amber. Hij heeft haar met Zoë's mobieltje gebeld. Zoë had Amber ontmoet op een zeilkamp toen ze veertien was. Ze hadden telefoonnummers uitgewisseld en Zoë is daarna vergeten om Ambers nummer uit haar telefoongeheugen te wissen.

Daarna kwam Anouk onder de 'A' in Zoë's adresboek. Zoë had haar telefoonnummer opgeslagen na een jazzballetles omdat ze misschien Anouks oude balletschoenen wilde kopen. En dan Babette. Zoë was door Babette geïnterviewd voor de schoolkrant. Jammer genoeg had Babette haar telefonisch gevraagd wat de 'tien gouden eindexamentips' waren, anders had Zoë nooit haar nummer gehad. En de enige reden dat Britt in Zoë's mobiel stond, was omdat ze bij elkaar in het studiegroepje voor Geschiedenis zaten.

Ik was bij de 'C' de eerste, echte vriendin van Zoë. Als Luuk niet was gepakt, dan had hij waarschijnlijk Zoë's hele telefoon in alfabetische volgorde afgewerkt. Hij wilde pas stoppen na de 'Z' van Zoë. Luuk nam bij elk meisje een andere identiteit aan. Bij Britt heette hij bijvoorbeeld Sander en studeerde hij Rechten in Utrecht. Hij was ontzettend goed in het begrijpen wat iemand wilde horen. Ik kan dat als geen ander bevestigen.

Luuk is veroordeeld tot tbs. Volgens de rechter komt zijn gedrag voort uit zijn vroege jeugd. Luuk heeft zijn vader nooit gekend. En zijn moeder, die aan de drugs was, heeft hem op tweejarige leeftijd bij een opvangtehuis achtergelaten. In de jaren daarna is hij van pleeggezin naar pleeggezin gestuurd. Toen hij twaalf jaar was, heeft Luuk het huis van zijn pleegouders in brand gestoken omdat hij daar weg moest. En dat was slechts het begin van zijn strafblad.

Het is heel gek, maar soms mis ik Nick. Niet de Nick die eigenlijk Luuk heet, maar een jongen die is zoals Nick zich voordeed aan de telefoon: lief, zorgzaam en geïnteresseerd in mij. Wie weet kom ik ooit nog zo'n jongen tegen.

'Wat vind jij, Claire?' hoor ik mijn vader vragen.

'Hè, wat?' Ik heb het gesprek tussen Zoë en papa niet gevolgd.

'Moeten we de muur in de badkamer blauw verven? Of groen? Zoë vindt groen mooier.'

'Hmmm.' Ik doe alsof ik diep nadenk. 'Ik ben voor geel. Met zwarte tegels.'

Papa kreunt. 'Van wie heb je deze afschuwelijke smaak?'

'Van jou,' antwoord ik grijnzend.

In maart zijn we terug verhuisd naar Amsterdam. Er waren te veel herinneringen in Rotterdam. En pap kon een baan op het Shell-kantoor in Amsterdam krijgen. We wonen nu in een appartement aan de Amstel dat we aan het opknappen zijn.

'We moeten een beetje opschieten, dames,' zegt mijn vader. 'Ik moet nog inkopen doen voor vanavond.'

Vanavond komt Leonora bij ons eten. Pap heeft haar twee maanden geleden ontmoet op een receptie. Het was toen al een tijdje uit met Bernadet. Dat hele gedoe rond Luuk was haar wat te heftig geworden, vertelde pap me. Het zal wel. Ik ben blij dat ze weg is. En volgens mij is papa er ook niet rouwig om. Leonora is het tegenovergestelde van Bernadet; veel rustiger en serieuzer. Ik vind haar aardig. Verder dan dat kan en wil ik nog niet denken.

'Zoë, wil jij vanavond ook mee-eten?' vraagt mijn vader.

'Graag.' Ze knijpt in mijn hand. 'Ik ben zo blij dat jullie terug zijn. Het is weer een beetje zoals vroeger, hè?'

Ik glimlach. Met wat moeite zou het inderdaad weer zoals vroeger kunnen worden. Niet precies hetzelfde natuurlijk. Maar goed genoeg. Goed genoeg om gelukkig te zijn.

Lees ook de andere jeugdthrillers van Mel Wallis de Vries!

Uitgespeeld

Anna verhuist met haar ouders van Nijmegen naar Amsterdam. Op haar nieuwe school raakt ze bevriend met Tessa, Wouter, Charlotte en Tessa's vriend Julian. Anna en Tessa krijgen een steeds hechtere band. Dan verdwijnt Tessa plotseling en Anna vertrouwt haar nieuwe vrienden niet meer. Haar gevoelens voor Tessa én Julian verwarren haar en zorgen voor aanvaringen met de anderen. Niemand weet meer wat hun vriendschap voorstelt. En welke rol speelt Anna zelf? Wie bedriegt wie? En wie weet meer over Tessa's verdwijning?

Wanneer Anna zelf angstaanjagende telefoontjes van een anonieme beller krijgt, is ze bang dat haar hetzelfde lot wacht als Tessa. Degene die Tessa liet verdwijnen is nog lang niet uitgespeeld...

Uitgespeeld is een verhaal over vriendschap en bedrog, over vertrouwen en leugens, over liefde en jezelf zijn. Lekker leesbaar en bloedstollend spannend tot de laatste bladzijde.

De pers over *Uitgespeeld*:

IJzingwekkend spannend tot de allerlaatste bladzijde. – *Fancy*

Een thriller om lekker bij te griezelen. – *Kidsweek*

Een ware thriller die voor zowel jongens áls meisjes boeiend is. – *Brabants Dagblad*

In opzet en uitwerking profileert de auteur zich als de Nicci French van de jeugdliteratuur. – *Nederlandse Bibliotheek Dienst*

ISBN 978 90 443 1347 5

Verblind

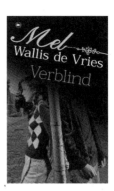

Max, Nina, Edith, Merlijn, Sjoerd, Maaike en Alexander zijn Amsterdamse scholieren die in de eindexamenklas zitten. Roos zit twee klassen lager en is een populair meisje. Haar ouders zijn gescheiden en ze woont bij haar vader, die weinig tijd voor haar heeft. Wanneer ze verliefd wordt op Alexander, een van de jongens uit het eindexamengroepje, wordt ze liefdevol opgenomen door het vriendengroepje.
Als Roos op een dag het lichaam van de gewurgde Maaike vindt, is de groep lamgeslagen van verdriet. Maaike lijkt het slachtoffer van een criminele afrekening; haar vader, een bekende topadvocaat, was bezig met een grote zaak tegen de Amsterdamse onderwereld. Dan valt er nog een slachtoffer en slaat de twijfel bij Roos toe.
Wie heeft er nog meer belang bij de dood van Maaike? Langzaam vallen alle puzzelstukjes op hun plaats. Maar wil Roos de waarheid wel zien?

Verblind gaat over loyaliteit en manipulatie, over groepsdruk en je verantwoordelijkheid nemen, over schone schijn en ware liefde. Een verhaal dat je in zijn greep houdt tot de allerlaatste bladzijde.

De pers over *Verblind*:

Een vlot geschreven verhaal met alle benodigde ingrediënten voor een thriller. – *Vrouw.nl*

Een thriller om van te trillen en te shaken. – *Girlz*

Een zeer vlot en realistisch verhaal dat erg van deze tijd is. Spannend tot op de laatste bladzijde. – *De Telegraaf*

Als je eenmaal bent begonnen met lezen, kan je niet meer stoppen! […] een aanrader voor iedereen die van spannende boeken houdt! – *Kidsweek.nl*

Verblind is een ontzettend spannend boek en een echte pageturner. In een adem lees je het boek uit. – *Boekreviews.nl*

Mel Wallis de Vries is een rijzende ster in de wereld van de jeugdboeken. – *De Gelderlander*

ISBN 978 90 443 1601 8

Buiten zinnen

Karlijn zit in de eindexamenklas en is erg populair bij haar klasgenoten. Op een nacht heeft ze een angstaanjagend realistische droom over een man die in haar kamer is en haar aanraakt. Maar als ze wakker wordt, is ze alleen. Vanaf dat moment verandert haar leven totaal. Elke nacht komt de nachtmerrie enger en dreigender terug. Karlijn weet niet meer wat echt gebeurt en wat fantasie is. De nachten zijn een kwelling en ze is bang, moe en wanhopig. Karlijns wanhoop zorgt voor conflicten met haar vrienden. Is ze gek aan het worden, of is er iets anders aan de hand?

Buiten zinnen is een verhaal over vriendschap en verlies, obsessie en wanhoop, onverwerkt verdriet en de kracht om erbovenop te komen.

De pers over *Buiten zinnen:*

Buiten zinnen is heerlijk spannend en je leest hem in een ruk uit. De ontknoping is knap gevonden, de spanning wordt goed opgebouwd. – *Chicklit.nl*

Spannend verhaal over de onzekerheden van pubers en hun worsteling overeind te blijven in een omgeving die hard is en hen nauwelijks serieus neemt. – *Nederlandse Bibliotheekdienst*

Het is een spannend boek voor jongens én voor meisjes. Een leuk, vermakelijk boek dat zich kwalificeert als een echte pageturner. – *Vrouw.nl*

ISBN 978 90 443 1900 2